Y Bancsi Bach

Golygyddion Cyfres yr Onnen:
Alun Jones a Meinir Wyn Edwards

Y Bancsi Bach

TUDUR DYLAN JONES

I DDISGYBLION YSGOL GYFUN Y STRADE, LLANELLI.

DIOLCH I DAMON A LEVI OWEN,
A RHYS JONES AM ENW'R GYFROL.

Argraffiad cyntaf: 2013

Comisiynwyd y gyfrol hon gyda chymorth ariannol Adran Plant,
Addysg, Dysgu Gydol Oes a Sgiliau

Cynllun y clawr: Y Lolfa

Rhif Llyfr Rhyngwladol: 978 1 84771 696 5

Cyhoeddwyd ac argraffwyd yng Nghymru
gan Y Lolfa Cyf., Talybont, Ceredigion SY24 5HE
gwefan www.ylolfa.com
e-bost ylolfa@ylolfa.com
ffôn 01970 832 304
ffacs 832 782

Roedd hi'n hanner nos, a phawb yn y stryd wedi hen ddiffodd eu goleuadau, wedi tynnu'r llenni ac wedi mynd i'r gwely am noson hir arall o gwsg. Pawb ar wahân i un. Am hanner nos roedd pawb call wedi hen fynd i gysgu. Am hanner nos roedd Owen yn dechrau ar ei waith. Roedd wedi cynllunio popeth yn barod. Roedd caniau chwistrellu paent ganddo ar y bwrdd yng nghornel ei stafell wely, pum lliw gwahanol, a phapurau gwyn wedi eu rhoi at ei gilydd efo'r tâp glud, gan greu un canfas mawr yn gorchuddio'r llawr i gyd. Un olwg gyflym allan rhwng y llenni. Oedd, roedd hi'n noson glir. Dim glaw. Perffaith. Edrychodd ar y cloc. Roedd hi'n bryd iddo fynd. Un olwg arall ar y papur. Arno yr oedd siâp y llun. Yr amlinell berffaith. Dyma'r llun fyddai'n ymddangos ar wal ryw hanner milltir i ffwrdd cyn diwedd y nos. Un llinell fach arall a byddai'r llun yn gyfan. Gorffennodd y siâp yn ofalus â'r pin ffelt du, a rhoi tyllau bach bob hyn a hyn ar hyd y llinellau. Oedd, roedd yn hapus efo'r llun. Os oedd o'n ddigon da i Michelangelo, roedd o'n ddigon da i Owen. Roedd hwnnw hefyd yn gwneud y siâp ar bapur cyn ei roi ar wal neu ar nenfwd. Plygodd y papur yn ofalus, estyn am y paent, a phelen o'r glud glas, a rhoi'r cyfan yn ei fag. Gwisgai ddillad du o'i ben i'w draed. Cap, côt, trowsus, esgidiau a hyd yn oed sanau. Y cyfan yn ddu. Person lliwiau oedd Owen fel arfer, ond heno gwisgo du oedd gallaf. Doedd Owen ddim eisiau tynnu sylw ato'i hun, yn enwedig yn y nos.

Sleifiodd i lawr y grisiau, a chlywai ei fam yn ei gwely'n chwyrnu'n braf. Gwyddai na fyddai hi'n clywed y drws cefn yn cau'n ysgafn, a phâr o esgidiau tywyll yn camu ar y cerrig mân yng nghefn y tŷ. Roedd o'n rhydd. Gwyddai'n union i ble roedd o'n mynd. Trodd i'r chwith ar ben y ffordd, heibio i'r siop-gwerthu-popeth, ac anelu at ffordd y traeth. Doedd neb o gwmpas. Roedd hi'n rhyfedd pa mor dawel y gallai'r lle fod yn y nos. Dim ond sŵn ei draed a sŵn y gwynt yn chwyrlïo yn y coed uwch ei ben. Doedd dim ofn arno. Roedd wedi anghofio popeth am bopeth. Dim ond un peth oedd yn bwysig iddo'n awr, a churai ei galon yn gynt a chynt wrth i bob cam ei ddwyn yn nes at y wal.

Roedd wedi bod â'i lygad arni ers wythnosau. Ar y ffordd adref o'r ysgol roedd dwy neu dair wal wedi mynd â'i fryd ond, yn y pen draw, penderfynodd ar hon. Talcen hen storfa fawr wrth ochr y ffordd, a channoedd o geir yn mynd heibio iddi bob dydd. Ond ddim am hanner nos. Roedd pawb yn cysgu. Pawb ond Owen.

Rheswm arall dros ddewis y wal hon oedd bod gwaith adeiladu'n digwydd drws nesa. Roedd yr adeiladwyr, chwarae teg iddyn nhw, yn arfer gadael eu hoffer dros nos heb eu cloi – blociau concrit a styllod pren – yr union bethau i hwyluso gwaith Owen.

Edrychodd o'i amgylch. Neb. Dechreuodd ar ei dasg. Llusgodd ddarn hir o bren draw at y wal, a rhoi'r blociau ar ben ei gilydd o flaen y wal, gan greu tŵr yr ochr yma a thŵr yr ochr draw. Byddai, byddai chwe bloc i bob tŵr yn ddigon. Rhoddodd y pren yn ofalus, un pen ar un tŵr a'r pen arall ar y tŵr arall. Llwyfan perffaith iddo allu sefyll arno i gyrraedd rhan uchaf y llun. Yna, i mewn i'w fag i nôl y papur a'r glud glas.

Pe bai rhywun wedi gweld Owen wrthi'r noson honno, byddai wedi rhyfeddu at gyflymder y gwaith. Sefyll ar y pren. Estyn yn uchel a rhoi'r papur anferth yn sownd wrth y wal efo'r glud glas. Chwistrellu paent du i bob twll bach ar hyd y llinellau ar y papur. Tynnu'r papur wedyn o'r wal, a'i blygu'n daclus yn ôl i'r bag, gan adael rhesi ar resi o ddotiau duon. Fyddai'r dotiau'n golygu dim i neb arall, ond roedd Owen yn gwybod yn iawn ble i roi'r llinellau. Roedd o wrth ei fodd efo lluniau *join the dots* pan oedd o'n fach. Roedd hwn yr un peth, ond ar raddfa lawer, lawer mwy. Yna chwistrellodd baent du i gysylltu'r dotiau â'i gilydd. O fewn eiliadau, dechreuodd siâp dyn anferth ymddangos ar y wal. Roedd o hanner ffordd drwy'i waith. Neidiodd oddi ar y pren a cherdded 'nôl oddi wrth y wal. Trodd i weld ei waith. Oedd, roedd yn gwbl hapus.

Yn sydyn, gwelodd olau car yn dod. Rhedodd i gefn yr adeilad i guddio. Oedd y gyrrwr wedi'i weld? Arhosodd nes i'r car wibio heibio. Oedd, roedd pob man yn ddistaw unwaith eto. Rhuthrodd 'nôl at y wal ac at ei waith. Chwistrelliad o baent glas a brown a phiws fan hyn a fan draw i liwio rhwng y llinellau, cyn ychwanegu'r gwyn a'r melyn, ac o fewn chwarter awr roedd y llun yn barod. Graffiti diweddaraf Owen yn saff ar y wal, ac Owen 'nôl yn saff â'i draed ar y ddaear.

Cliriodd y pren a'r blociau yn ôl i'w lle. Doedd o ddim eisiau i unrhyw beth guddio'r llun. Byddai cannoedd o barau o lygaid yn edrych ar ei waith erbyn i'r haul godi. Doedd o ddim chwaith eisiau gwylltio'r gweithwyr a fyddai'n chwilio am eu blociau a'u styllod yn y bore. Cymerodd gam neu ddau yn ôl er mwyn gweld ei waith yn iawn. Oedd, roedd o'n hapus. Yn berffaith hapus.

Yng ngolau'r stryd, gallai weld fod y llun wedi gweithio. Lledodd gwên fawr ar draws ei wyneb. Clustfeiniodd ac edrychodd i fyny ac i lawr y stryd. Doedd neb wedi'i glywed na'i weld. Rhoddodd y papur a'r paent yn saff unwaith eto yn ei fag. Roedd Owen ar ei ffordd yn ôl i'w wely.

Doedd neb yn y byd, ond Owen, yn gwybod am ei waith.

2

Wyth o'r gloch y bore. Roedd y strydoedd wedi deffro,
a phawb yn gwneud eu gorau i gyrraedd pen eu taith heb
ormod o wlychfa. Pistyllai'r glaw ar do'r arhosfan bysus,
nes ei bod hi'n anodd i'r ddau fachgen glywed ei gilydd yn
siarad.

'Ti'n edrych 'di blino. Be sy?' gofynnodd Llŷr.

'Dwi'n iawn. Gwely hwyr neithiwr,' oedd ateb swta
Owen. Doedd o ddim wedi bwriadu bod yn swta, ond roedd
ei feddwl ryw chwarter milltir i lawr y ffordd. A fyddai'r
paent wedi sychu? Sut fyddai'r wal yn edrych yng ngolau
dydd? A fyddai'r glaw wedi golchi'r cyfan i ffwrdd?

Roedd chwech yn dal y bws gyda'i gilydd yn yr un lle
bob dydd. Llŷr oedd y cyntaf i gyrraedd bob tro. Roedd Lisa
yno hefyd, un o ffrindiau pennaf Hedd. Hedd oedd ei harwr
hi. Hedd a wnâi iddi chwerthin bob tro roedd yn bygwth ac
yn gweiddi. Hedd oedd bwli'r ysgol.

Un arall a fyddai'n dal y bws oedd Dafydd. Un o frêns
mawr yr ysgol oedd Dafydd. Roedd o ar ei flwyddyn olaf,
ac yn gobeithio mynd i astudio Ffiseg Niwclear mewn
prifysgol yn yr Almaen. Bachgen a oedd yn gwybod llawer
ond yn dweud fawr ddim. Gwisgai sbectol fechan am ei
drwyn, côt fawr beth bynnag fyddai'r tywydd, a sachell
ledr a oedd wedi bod ganddo ers yr ysgol gynradd i gario'i
lyfrau a'i frechdanau. Dafydd Einstein oedd ei ffrindiau yn
y chweched dosbarth yn ei alw. Kez a Braz oedd y ddwy
arall.

'Hei, Kez, ti'n gwbod be?' holodd Braz.

'Be?' atebodd Kez.

'O'dd *twenty* wedi adio fi fel ffrind ar Facebook neithiwr!'

'Waw, ma hwnna'n *well amazing...*' ebychodd Kez, cyn ychwanegu, '... os ydy o'n wir!'

Roedden nhw ym Mlwyddyn 7, ddwy flynedd yn iau nag Owen – Kez â'i gwallt du cyrliog, a Braz â gwallt a fyddai'n newid ei liw mor aml ag y byddai'r diwrnod yn newid ei dywydd. Doedd dim llawer o sgwrs rhwng y ddwy weddill y ffordd i'r ysgol. Roedd eu trwynau'n ddwfn yn eu ffonau symudol yn busnesu beth oedd hanes pawb arall.

Cyrhaeddodd y bws, ac i mewn â nhw. Lisa oedd gyntaf. Roedd hi eisiau mynd i'r sêt gefn i fod yn barod i groesawu Hedd. Ei Hedd hi! Symudodd hi'r sawl a oedd yn eistedd yno er mwyn gwneud lle iddi hi... a Hedd. Dafydd Einstein oedd yr olaf i mewn bob tro. Doedd dim llawer o ots gan hwnnw ble roedd o'n eistedd.

Eisteddodd Owen yn ei sêt arferol yn y blaen. Cyn pen dim fe fyddai'r bws yn pasio'r wal. Caeodd ei lygaid a cheisio tynnu llun y wal yn ei feddwl. Wedi'r cwbl, mae'n siŵr y byddai'r llun yn edrych yn wahanol iawn yng ngolau dydd. Oedd, roedd o'n meddwl y byddai'n hapus efo'r ffordd yr oedd yn edrych. Dim ond un cip sydyn yn ôl fyddai ei angen arno, un edrychiad i ddangos bod gwaith y nos wedi bod yn werth y drafferth, a gallai gyrraedd yr ysgol yn arlunydd bach hapus dros ben. Byddai'n rhaid iddo beidio â thynnu sylw ato'i hun yn troi'i ben i edrych. Doedd o ddim am i neb arall wybod mai fo oedd wedi tynnu'r llun.

Arhosodd y bws er mwyn codi mwy o ddisgyblion. Doedd Owen byth yn edrych mlaen at yr eiliad hon. Dyma'r eiliad roedd Hedd yn camu i'r bws, a'r un peth fyddai'n digwydd bob tro. Hedd oedd brenin y sedd gefn, a phob dydd wrth gerdded drwy'r bws i'w hawlio, byddai'n rhoi dwrn ar fraich unrhyw un fyddai'n ddigon anffodus i fod o fewn ei gyrraedd. Roedd Owen wedi deall pethau erbyn hyn. Roedd wedi sylwi bod Hedd, wrth iddo gyrraedd trydydd gris y bws, yn edrych draw i weld a oedd rhywun yn eistedd yn ei sedd o. Dim ond wedyn y byddai'n dechrau ar ei boeni dyddiol. Slap fach fan hyn a fan draw. Dyna pam roedd Owen o hyd yn ceisio cael lle wrth ymyl y ffenest yn agos i'r tu blaen. Fel arfer, erbyn i Hedd feddwl am ddechrau defnyddio'i ddwylo, roedd wedi mynd heibio i deithwyr y seddi blaen, ond nid felly'r bore hwn.

'Bore da... prat!' meddai'r bwli wrth Owen. Ni chododd Owen ei ben, nac ateb 'nôl. Roedd wedi dysgu mai dyma'r peth saffaf i'w wneud.

Teimlodd Owen nerth llaw Hedd yn boenus ar ei fraich, a chlywed ei chwerthin yn atseinio drwy'r bws ar ei daith at y Frenhines Lisa ar ei gorsedd.

Yng nghanol ei boenau, anghofiodd Owen edrych ar y wal. Dim ond wrth iddo weld giatiau'r ysgol yn agosáu y cofiodd am ei gampwaith. Ond roedd hynny'n rhy hwyr. Chofiodd o ddim edrych 'nôl i weld a oedd y glaw wedi dod i chwalu'r lliwiau. Dim ots. Byddai cyfle i'w weld ar y ffordd adre. Byddai'n wynebu'r ffordd iawn erbyn hynny, beth bynnag. Fyddai dim angen iddo edrych yn ôl i gyfeiriad Hedd a'i griw i weld y llun yn iawn. Dim ond ychydig dros chwe awr fyddai'n rhaid iddo aros.

3

O leiaf doedd dim rhaid i Owen wynebu Hedd yn ystod y cyfnod cofrestru yn Ystafell A3. Er ei fod yn yr un flwyddyn â Hedd a Lisa, roedd y ddau ohonyn nhw'n cofrestru mewn stafell arall, yn ddigon pell i ffwrdd. Roedd Llŷr hefyd yn cofrestru yno gyda chariadon y sedd gefn. Roedd Owen wedi bod yn meddwl y byddai'n gofyn am gael symud i gofrestru gyda Llŷr. Ond byddai hynny'n golygu y byddai'n rhaid iddo gofrestru yn yr un stafell â Hedd. Hedd a Llŷr, neu ddim un ohonyn nhw? Dim un oedd y dewis gorau.

Mater arall oedd y gwersi. Byddai Owen wedi dymuno bod yn Set 1 ym mhob pwnc, ond doedd gwaith ysgol ddim yn dod yn hawdd iddo. Bachgen y setiau is oedd Owen ym mhob pwnc, bron. Arlunio oedd ei hoff wers ond, am ryw reswm, doedd ei luniau ddim yn apelio ryw lawer at ddant Miss Smith, yr athrawes Gelf. Roedd ffws fawr gan honno am arlunio modern. Taflu paent o amgylch y lle oedd ei phethau hi. Penderfynu ble i roi'r paent ymlaen llaw oedd pethau Owen.

Cerddodd Owen i mewn i'r stafell gofrestru. Fel arfer, byddai'r athro'n eistedd yn barod wrth ei ddesg, ond heddiw doedd neb yno. Felly roedd hyn yn golygu bod sŵn yn y dosbarth. Pan gyrhaeddodd Owen, gwyddai'n union lle roedd am anelu. Ei sedd arferol wrth y drws. Yn y tu blaen. Ar ei ben ei hun. Roedd o'n casáu'r seddi cefn. Yn y fan honno roedd y gweddill eisiau eistedd. Ond nid Owen. Treuliai Owen ei amser yn darllen y posteri ar y waliau. Roedd mor gyfarwydd â nhw erbyn hyn, fel ei fod bron yn gallu dweud beth oedd ar bob un â'i lygaid ar gau, o'r poster iechyd a diogelwch i'r poster yn hysbysebu'r Clwb Celf.

Clywodd sŵn rhywun yn curo ar y drws. Dim ond Owen glywodd y sŵn. Roedd gweddill y dosbarth yn rhy brysur yn siarad. Edrychodd Owen draw at y drws. Gwelodd wyneb dyn yn y ffenest fach yn y drws. Dyn yn edrych i mewn. Safodd yno am eiliad neu ddwy, gan wneud dim ond edrych i mewn i'r dosbarth. Edrychodd Owen yn ei ôl, ddim yn hollol siŵr beth i'w wneud. Penderfynodd fynd i agor y drws.

'O, diolch yn fawr i ti. Beth yw dy enw di, gwêd?' gofynnodd y dyn.

'Owen...'

'Diolch, Owen. Ydw i wedi dod i'r lle iawn? Ai dyma ble mae Mr Davies yn arfer cofrestru?'

'Ia.'

''Na fe 'te. Fi sy'n 'ych cofrestru chi heddi.'

Sylwodd Owen ei fod o'n siarad ychydig yn od. Acen y de oedd ganddo. Allai Owen ddim llai na meddwl bod rhywbeth yn gyfarwydd am yr athro newydd. Oedd o wedi'i weld yma o'r blaen? Roedd rhywbeth ynglŷn â'i lygaid oedd yn gyfarwydd i Owen. Erbyn hyn, roedd gweddill y dosbarth wedi dechrau tawelu wrth weld y dyn yn sefyll o flaen desg Mr Davies. Erbyn gweld, roedd mwy na'i acen yn gwneud hwn yn wahanol. Edrychai'n od o'i ben i'w draed. Y gwallt i ddechrau. Mop o gyrls gwyn, sbectol gron drwchus, crys melyn llachar a thei biws. Gwisgai siaced frethyn frown, a throwsus oedd ryw fodfedd neu ddwy yn rhy fyr iddo. Gallech weld ei sanau glas golau'n glir yn y bwlch rhwng gwaelod ei drowsus a thop ei esgidiau.

Synhwyrodd Owen fod pawb wedi dechrau distewi erbyn

hyn. Doedd y dosbarth hwn ddim yn un hawdd. Roedd hyd yn oed yr athrawon mwyaf profiadol yn gorfod gweiddi arnyn nhw i fod yn ddistaw. Ond, am ryw reswm, doedd hwn ddim yn gorfod agor ei geg, ac roedd pawb yn fud. Neb yn dweud dim. Neb yn gwneud dim, dim ond edrych ar y dyn a oedd o'u blaenau. Doedd Owen ddim yn cofio'r fath dawelwch yn y dosbarth erioed o'r blaen, yn arbennig gydag athrawon newydd.

'All rhywun 'weud wrtha i shwt y'ch chi'n cofrestru 'ma?'

Dechreuodd un neu ddau chwerthin yn isel wrth glywed yr acen, ond y cwbl a wnaeth yr athro oedd codi'i ben ac edrych i lygaid y disgyblion. Edrych ar bob un. Fesul un. Doedd dim bygythiad yn yr edrychiad. Ond wnaethon nhw ddim chwerthin wedyn.

Aeth un o'r merched i ddangos i'r athro sut i gofrestru ar y cyfrifiadur. Galwodd yr athro enwau'r plant, a phob un yn ateb 'yma' yn ei dro. Ar ôl gorffen y gofrestr, roedd pawb i fod i fynd i'r neuadd ar gyfer y gwasanaeth boreol, ond doedd yr athro newydd ddim yn gwybod hynny.

'Pryd mae'r gwersi'n dechre?' gofynnodd.

'Chwarter wedi naw,' atebodd rhywun.

'Ma amser 'da fi i ga'l brecwast 'te.' Edrychodd ambell un mewn rhyfeddod ar ei gilydd. Brecwast?! Plygodd yr athro i lawr at ei fag amryliw, a thynnu fflasg a bocs plastig allan ohono. Rhoddodd y fflasg a'r bocs ar y ddesg. Agorodd y fflasg, a thywallt cwpanaid o goffi iddo'i hun. Agorodd y bocs plastig, a thynnu bag bach plastig a llwy ohono. Agorodd y bag plastig, a rhoi'r llwy i mewn. Siwgr oedd ynddo! Rhoddodd un llwyaid o siwgr yn ofalus yn y cwpan. Rhoddodd y llwy i mewn i'r bag plastig unwaith eto a thynnu hanner llwyaid y tro hwn, a rhoi honno hefyd yn y cwpan. Trodd y baned ddwywaith â'i lwy. Blasodd y coffi, a daeth gwên fawr dros ei wyneb.

Erbyn hyn, gallech chi glywed pin yn disgyn yn y dosbarth. Doedd y plant ddim wedi gweld y ffasiwn beth. Doedd gwylio rhywun yn paratoi i yfed coffi erioed wedi bod mor ddiddorol.

Rhoddodd y dyn ei law yn y bocs eto. Tynnodd hances bapur allan. Roedd llygaid pob un arno. Ond roedd y dyn fel petai wedi anghofio am bawb a phopeth. Y coffi oedd yn bwysig iddo yr eiliad honno, a dim byd arall. Sychodd y llwy yn yr hances a'i rhoi yn ôl yn y bocs. Edrychodd i mewn i'r bocs, ac estyn am frechdan. Aeth i'w fag, a thynnu banana, powlen a fforc. Roedd pethau'n gwella!

Tynnodd groen y fanana a'i roi yn y bocs plastig. Rhoddodd y fanana yn y bowlen a dechrau'i malu â'r fforc, ei malu'n fân, fân nes ei bod yn troi i fod fel hufen melyn. Roedd y rhai yn y sedd gefn, a oedd eisiau chwerthin ynghynt, wedi hen ddistewi erbyn hyn. Pob un mewn rhyfeddod llwyr, yn methu credu'r hyn roedden nhw'n ei weld.

Defnyddiodd y fforc i roi'r fanana yng nghanol y frechdan. Cododd y frechdan i'w geg a dechrau bwyta. Dim ond yr eiliad honno y sylweddolodd fod tua phum pâr ar hugain o lygaid yn rhythu arno'n bwyta. Rhythodd yntau yn ôl arnyn nhw. Er bod ei geg yn llawn brechdan fanana, teimlai fod yn rhaid iddo egluro iddyn nhw beth roedd yn ei wneud.

'Sai wedi ca'l amser i fy'ta brecwast bore 'ma. Newydd wbod bod angen i fi ddod 'ma. Sdim ots 'da chi 'mod i'n b'yta o'ch bla'n chi, o's e?'

Rhwng bod ei acen yn rhyfedd a bod ei geg yn llawn brechdan fanana, doedd hanner y dosbarth ddim wedi deall gair!

Chafodd y plant a *oedd* wedi deall ddim cyfle i ateb. Cymerodd lwnc o'i goffi, bwyta tamaid olaf y frechdan a dechrau clirio'r ddesg o'i flaen. Edrychodd yn fanwl ar wyneb y ddesg. Tynnodd ei dei, a'i ddefnyddio fel clwt i wneud yn siŵr fod pob briwsionyn o'r frechdan wedi mynd yn ôl i'r bocs plastig. Yfodd y coffi nes bod pob diferyn wedi mynd o'r cwpan. Caeodd y fflasg, a rhoi'r cyfan yn ôl yn ei fag. Ar yr un eiliad, canodd y gloch ar gyfer y wers.

Gwers Gymraeg oedd y wers nesaf. Gwers yn yr un stafell i Owen. Gwers yn yr un stafell i'r athro newydd rhyfeddol hefyd.

Doedd y disgyblion erioed wedi cerdded mor dawel â hyn allan o'r dosbarth. Synhwyrodd y rhai a oedd yn aros i ddod i mewn fod yna rywbeth rhyfedd wedi digwydd yn Ystafell A3. Roedden nhw ar dân eisiau gwybod beth.

'Be sy'n bod?'

'Pam bo' pawb yn ddistaw?'

Ddaeth dim ateb, dim ond un ferch, wrth gerdded allan, yn dweud dan ei hanadl,

'Mae o'n nyts. Hollol nyts.'

Wrth i'r disgyblion adael y stafell gofrestru, ac wrth i'r disgyblion eraill gyrraedd o ddosbarthiadau cofrestru eraill, Hedd, Lisa a Llŷr yn eu plith, cododd yr athro ac eistedd ar y bwrdd o flaen y dosbarth. Gan fod y rhai a oedd yn y dosbarth yn barod yn hollol ddistaw, roedd pob un a ddaeth i mewn hefyd yn distewi. Ond roedd pethau ar fin mynd yn fwy rhyfedd byth.

4

Llond y stafell o Flwyddyn 9. Cymraeg Set 3. Un athro newydd sbon. Gwallt gwyn, cyrliog. Sbectol gron, drwchus fel dwy olwyn beic ar ei drwyn. Acen ddiarth y de. Doedd dim llawer o obaith ganddo, druan – petai'n athro cyffredin. Ond nid athro cyffredin oedd hwn!

Aeth ati i glymu'i dei yn ôl am ei wddw. Yna, heb ddweud gair, aeth ati i orwedd ar y ddesg o flaen pawb. GORWEDD! Ar BEN y ddesg! Ei ben ar ochr chwith y ddesg, a'i goesau'n pwyntio i'r ochr dde. Hongiai ei fraich dde dros ochr y ddesg, nes ei bod bron â chyffwrdd y llawr. Hongiai ei goes dde hefyd dros ochr y ddesg. Cododd yn sydyn ar ei eistedd a dweud,

'Odw i'n iawn i 'weud taw gwers Gymraeg yw hon i fod?'

Nid atebodd neb, dim ond nodio'u pennau'n dawel.

'Gwd,' meddai wedyn, a mynd 'nôl i orwedd ar y ddesg, ei fraich a'i goes dde yn hongian fel o'r blaen.

Arhosodd fel hyn am eiliad neu ddwy, cyn codi ar ei draed eto, a phwyntio'n syth at Hedd.

'Ti fan'na, beth yw dy enw di?' gofynnodd.

'Hedd.' Doedd Hedd erioed wedi ateb cwestiwn mewn llais mor ddistaw.

'Gweda wrtho i shwt fyddet ti'n sillafu'r gair *gwely*?'

Doedd sillafu ddim yn un o gryfderau Hedd. Doedd sillafu ddim yn un o gryfderau neb o fewn y dosbarth, a Hedd yn arbennig. Roedd y sillafwyr da i gyd yn Set 1! 'Dere mas i sgrifennu'r gair ar y bwrdd gwyn.'

Roedd Hedd yn weddol hyderus ei fod yn cofio sut roedd y gair yn cychwyn... g...w...e...l... ond wedyn aeth hi'n nos arno. Taflodd wên yn ôl ar Lisa. Gallai Owen weld mai gwên nerfus oedd hon. Wrth iddo gerdded i'r blaen a gafael yn y beiro bwrdd gwyn, ceisiai Hedd gofio pa lythyren oedd yn dod olaf. Roedd ganddo dri dewis 'i', 'u' neu 'y'. Roedd yn weddol siŵr nad 'i' oedd ar ddiwedd y gair. Ac eto, gallai Hedd daeru mai 'gweli' ddywedodd yr athro.

'Gwely?' gofynnodd Hedd yn ansicr, er mwyn gwneud yn siŵr unwaith eto ei fod wedi clywed y gair yn iawn, ac er mwyn rhoi ychydig mwy o amser iddo feddwl am yr ateb!

'Ie, 'na fe. Y peth wyt ti'n cysgu ynddo fe yn y nos.'

Felly roedd y dewis rhwng dwy lythyren. Roedd hi'n naill ai 'u' neu 'y'.

Penderfynodd roi gymaint o amser iddo'i hun â phosib. Dechreuodd ysgrifennu'r llythrennau g...w...e...l... yn araf, fesul un, ar y bwrdd gwyn, gan gamu 'nôl ar ôl pob un cyn mynd i ysgrifennu'r un nesaf. Erbyn cyrraedd yr 'l', gwyddai fod yr amser wedi dod iddo ddewis y llythyren olaf. Doedd o ddim am ddangos i'r dosbarth nad oedd o'n gwybod, felly dyma benderfynu ar... 'u'. Ac ysgrifennodd Hedd yr 'u' ar ddiwedd y gair, gan geisio ymddangos yn gwbl hyderus. G...w...e...l...u.

Aeth Hedd 'nôl i'w sedd.

'Nawr, pwy sy'n cytuno 'da Hedd?' gofynnodd yr athro, gan edrych ar y gair. Doedd neb o'r dosbarth yn gallu bod yn hollol siŵr a oedd Hedd yn iawn, ond y dewis oedd cytuno efo Hedd neu beidio. Roedd y dewis yn hawdd. Doedd Hedd ddim yn un i anghytuno ag o. Pe bai Hedd wedi sillafu'r gair fel 'g...u... e... ll... i... u' ar y bwrdd gwyn, byddai rhai wedi codi eu dwylo i gytuno.

Roedd Owen wedi bod yn gwylio hyn i gyd. Doedd gan Owen chwaith ddim syniad ai 'y' neu 'u' oedd fod ar ddiwedd y gair. Edrychodd o'i amgylch, a gweld bod pawb arall wedi codi eu dwylo i gefnogi Hedd.

Cododd Owen ei law hefyd.

Yn sydyn, gwnaeth yr athro beth rhyfedd iawn. Aeth 'nôl at y ddesg, a gorwedd arni fel o'r blaen. Ei ben ar ochr chwith y ddesg, a'i goesau'n pwyntio i'r dde. Hongiai ei fraich dde unwaith eto dros un ochr i'r ddesg, a hongian ei goes dde dros ochr arall y ddesg, a'r ddau unwaith eto bron â chyrraedd y llawr. Trodd ei ben at y dosbarth a dechrau siarad...

'Chi'n gweld, pan y'ch chi mewn gwely, mae'ch braich chi'n mynd i lawr i ddangos y "g" ar un ochr, a'ch coes chi'n mynd lawr y pen arall i ddangos yr "y" ar y diwedd. Mae "g" ar y dechre,' meddai gan ysgwyd ei fraich, 'ac "y" ar y diwedd,' ychwanegodd gan ysgwyd ei goes. 'G...w...e...l... y...' meddai gan roi pwyslais ar yr 'y'. 'Mae coes ar bob pen i wely, ac felly mae coes ar bob pen i'r gair hefyd. Hawdd, on'd yw e?!'

Roedd Owen wedi'i gweld hi! Roedd yn gwneud synnwyr perffaith. Byddai'n cofio am byth rŵan mai 'y' sydd ar ddiwedd 'gwely'. Coes bob ochr i'r gwely! Doedd geiriau a llythrennau ar bapur ddim yn golygu llawer iddo, ond roedd gweld pethau'n fyw o flaen ei lygaid yn gwneud iddo ddeall i'r dim.

Aeth yr athro yn ei flaen. 'Nawr sdim syniad 'da fi faint o amser sydd ar ôl o'r wers, ond chi wedi dysgu digon am un diwrnod. Gewch chi ymlacio nes bydd y gloch yn canu.'

Roedd tri chwarter awr o'r wers ar ôl!

'O, gyda llaw,' meddai'r athro, 'Mr Wiliam yw'r enw...'

5

Pe bai'r dosbarth Cymraeg wedi cael tri chwarter awr i ymlacio yng nghwmni unrhyw athro neu athrawes newydd arall, byddai'r ymlacio'n sydyn iawn wedi troi'n weiddi ac yn bryfocio, yn dynnu coes ac ymladd. Ond tri chwarter awr o edrych ar yr athro bob hyn a hyn a gafwyd. Tri chwarter awr o fethu credu llygad na chlust. Doedd y dosbarth erioed wedi bod mor dawel â hyn ar ôl cael tri chwarter awr o ryddid!

Wrth i Owen gerdded allan o'r wers, gwelodd Llŷr, a meddwl gofyn iddo a oedd wedi mwynhau'r wers. Ond cerddodd Llŷr heibio iddo heb ddweud gair. Gwelodd Owen ei ffrind yn cerdded i lawr y coridor, at Hedd a Lisa. Y tri'n cerdded ochr yn ochr, a Llŷr yn amlwg â'i gam ychydig yn fwy sionc nag arfer. Hedd un ochr iddo, Lisa yr ochr arall, a'r tri'n chwerthin nerth eu pennau.

Beth oedd Owen wedi'i wneud o'i le? A oedd o wedi dweud rhywbeth anghywir wrth rywun? A oedd wedi gwneud rhywbeth na ddylai? Roedd pawb arall ar y coridor fel petaen nhw'n siarad. Siarad â'i gilydd a chwerthin. Criwiau o ddau, tri a phedwar yn hwylio'n hapus o un wers i'r llall. Pawb yn siarad â'i gilydd. Ond neb yn siarad ag Owen. Ddim hyd yn oed Llŷr. Roedd hwnnw fel petai wedi mynd yn fwy o ffrindiau gyda Hedd a'r criw yn ddiweddar. Cofiai adeg pan oedd Llŷr ac yntau wrth eu boddau yng nghwmni'i gilydd, ond ers rhyw dymor bellach roedd Owen wedi sylwi bod rhyw bellter wedi dod rhyngddynt. Doedd dim byd cas wedi cael ei ddweud rhwng y ddau, ond roedd y newid yn amlwg.

Teimlai Owen yn unig. Roedd bod yn unig mewn torf o bobl hyd yn oed yn waeth na bod yn unig ar ei ben ei hun. Doedd neb arall yn sylwi. Dim ond Owen.

Doedd o ddim yn edrych mlaen at amser cinio. Gallai ddioddef bod yn unig mewn gwers. Doedd pethau ddim mor wael yr adeg honno. Ond yn ystod amser egwyl neu yn arbennig amser cinio, dyna pryd yr oedd yn teimlo'r peth ar ei waethaf. Allai Owen ddim eistedd yn llonydd ar ei ben ei hun am yr awr gyfan. Roedd wedi sylweddoli bod rhywun a oedd yn eistedd ar ei ben ei hun yn edrych yn llawer mwy unig na rhywun a oedd yn cerdded ar ei ben ei hun. Wrth gerdded, o leiaf gallai edrych fel petai'n cerdded i gyfarfod â rhywun, neu'n mynd i rywle. Roedd hi'n cymryd ugain munud i gerdded o amgylch yr ysgol gyfan. Byddai Owen yn ei cherdded hi dair gwaith. Bob awr ginio.

Yn sydyn, cofiodd am y poster a welodd yn y stafell gofrestru. Poster ar gyfer y Clwb Celf. Doedd o ddim yn meddwl y byddai treulio awr ychwanegol yng nghwmni Miss Smith, yr athrawes Gelf, yn apelio rhyw lawer, ond os mai'r dewis arall oedd cicio'i sodlau ar hyd y coridorau am yr amser cinio cyfan, yna'r Clwb Celf amdani.

Cerddodd heibio i'r môr o wynebau ar hyd y coridor tuag at y stafell Gelf. Wyddai o ddim faint o groeso a gâi gan Miss Smith, ond magodd ychydig o ddewrder, a cherdded i mewn gan obeithio gweld bwrdd bach sbâr yn y cefn iddo gael parhau â'i waith yn ddistaw.

Cafodd siom wrth weld pwy oedd yna. Kez a Braz! Y ddwy a oedd yn creu digon o sŵn i foddi hanner cant o rai eraill ar y bws. Cafodd gipolwg ar luniau'r ddwy wrth iddo gerdded heibio. Roedd Kez wrthi'n tynnu llun coeden, a Braz wrthi'n tynnu llun… wel, doedd gan Owen mo'r syniad lleiaf beth oedd llun Braz i fod. Roedd yn sblotshys o baent dros y papur i gyd, a chymaint wedyn ar y ddesg ac ar y llawr.

Eisteddodd Owen wrth yr unig fwrdd gwag yn y stafell, yr un y tu ôl i'r ddwy. O'r storfa fach ar flaen y stafell ymddangosodd Miss Smith. Hen bwten fach fain oedd hon, a'i sbectol yn gorffwys hanner ffordd i lawr ei thrwyn. Roedd Owen ar un adeg wedi bod yn ceisio dyfalu beth oedd ei hoedran. Ond roedd hi'n un o'r bobl hynny a allai fod rywle rhwng ugain a hanner cant. Penderfynodd yn ddigon buan fod ganddo bethau gwell i'w gwneud na phoeni am oedran Miss Smith.

Cerddodd hi'n syth at fwrdd Kez a Braz. Ond cyn iddi gyrraedd hyd yn oed, arhosodd ac edrych. Yna gwaeddodd nerth ei phen gan wneud i rai o'r plant lleiaf yn y stafell neidio yn eu crwyn.

'O, am lun bendigedig!' gwichiodd. 'Mae'r holl liwiau'n wych! Gwirioneddol wych!'

Cododd Owen ei ben ac edrych. Oedd, roedd y goeden gan Kez yn eithaf da. O beth allai Owen ei weld, roedd llinellau brown yn cynrychioli'r rhisgl ar fonyn y goeden, a siapiau da ar gyfer y dail. Ond yn y pen draw, dim ond brown a gwyrdd oedd ar y papur. Dim byd mwy. Brown i'r bonyn a gwyrdd i'r dail! Gallai unrhyw un wneud coeden fel 'na efo tipyn o ymdrech, meddyliai Owen. Ond wrth i Miss Smith agosáu at y bwrdd, gallai Owen weld nad edrych ar goeden Kez oedd hi. Roedd hi'n canmol sblotshys Braz!

'Mae'r ffordd ry'ch chi wedi cyfuno cyflymder a theimlad yn rhoi ethos tri dimensiwn i'r gwaith, Branwen.'

Branwen! *Dyna* oedd ei henw! Nid oedd erioed wedi croesi'i feddwl fod ganddi enw arall heblaw Braz. Braz oedd hi i bawb – o'r gyrrwr bws i'r ddynes ar y til yn y ffreutur.

'Mae o mor fynegiannol,' ychwanegodd Miss Smith.

'Fyneg... be?' sibrydodd Braz.

'Dim syniad, ond mae o'n swnio'n dda!' atebodd Kez.

Edrychodd Owen unwaith eto draw at lun Braz. Oedd o wedi colli rhywbeth? Gallai daeru mai'r cyfan roedd Braz wedi'i wneud oedd rhoi'i brwsh yn y paent a thaflu'r lliwiau blith draphlith ar y papur. Doedd Kez ddim yn edrych yn hapus iawn! Roedd hi wedi gwneud ei gorau hefyd, ond doedd Miss Smith ddim hyd yn oed wedi edrych ar ei champwaith!

Ar ôl i Miss Smith ychwanegu rhai geiriau fel 'egni' a 'symudiad' wrth ganmol y gwaith ymhellach, aeth yn ôl at ei phaned yn y storfa.

''Di o *so* ddim yn deg!' cwynai Kez wrth ei ffrind.

'Ti ond yn *jealous*,' meddai Braz.

'Dwi *so* ddim. Ti'n meddwl bo' fi'n *jealous* o rywun sy'n fflicio paent?'

'Dim jyst fflicio paent i rwla rwla ydy o. Mae'n rhaid i ti wybod lle mae fflicio'r paent. Ti jyst ddim yn dallt,' meddai Braz.

'Ond na'th hi ddim hyd yn oed *edrych* ar un fi,' atebodd Kez.

Yn sydyn, gwelodd Owen Kez yn estyn at y potiau paent. Roedd hi'n amlwg wedi cael syniad! Doedd hi ddim am adael i Braz gael y sylw i gyd. Gafaelodd yn ei brwsh, ac yn lle rhoi mwy o ddail gwyrdd neu linellau brown at risgl y goeden, dechreuodd fflicio ychydig o liwiau llachar fan hyn a fan draw ar ei llun hi ei hun, yn felyn ac yn borffor ac yn binc! Os oedd Miss Smith yn hoffi sblotshys, yna sblotshys amdani!

Edrychodd Owen ar y papur o'i flaen. Papur gwyn,

gwag. Papur yn llawn o ddim. Dyna sut roedd pob darn o gelf yn dechrau. Dechrau o ddim. Roedd yn hoffi'r dim byd. Cyfle iddo feddwl. Lle ar y papur i'w ddychymyg grwydro i unrhyw fan y dymunai. Ond i ble bynnag roedd y dychymyg yn mynd ag o, dod 'nôl i'r un lle fyddai bob tro... at bobl. Lluniau pobl. Dyna oedd yn llenwi'i feddwl, a dyna a welai'n llenwi pob papur a oedd wedi bod o'i flaen erioed. Roedd pobl yn gallu gwneud i chi chwerthin... a chrio. Eich gwneud yn hapus... ac yn unig.

'Be ti'n meddwl ti'n neud?' gofynnodd Braz i'w ffrind.

'Fflicio paent. Be ti'n meddwl dwi'n neud?' atebodd Kez yn goeglyd.

'Ond ma spots ar hyd *pencil case* Animal fi rŵan.'

'Dim fi na'th hwnna,' meddai Kez. 'Ti na'th o pan o't ti'n fflicio paent!'

'Dwi *so* ddim wedi neud.'

'Ti *so* wedi.'

'Dwi ddim hyd yn oed yn iwsho pinc.' Pwyntiodd Braz at un smotyn ar y cas pensiliau. 'A be ydy'r sbot yna ond pinc?!'

Crwydrai meddwl Owen at y llun roedd wedi'i dynnu ar y wal y noson cynt. Edrychai ymlaen at ei weld ar y ffordd adre. Gwenai wrth feddwl am yr holl bobl fyddai wedi'i basio yn eu ceir, ac wedi'i weld erbyn hyn, a neb yn y byd yn gwybod pwy oedd wedi'i wneud. A fyddai pobl yn ei hoffi? A fyddai pobl flin y cyngor yn penderfynu bod yn rhaid i'r llun gael ei lanhau? Er bod Owen yn hoff o'r llun, doedd dim wir ots ganddo petai hynny'n digwydd. Roedd y llun wedi cael bod yno, a phobl wedi cael ei weld, a hynny oedd yn bwysig. Doedd dim un llun roedd Owen yn ei greu yn cael ei wneud i fod yno am byth.

Y llygaid. Dyna sut roedd wastad yn dechrau. Gallai Owen ddweud cymaint am berson wrth edrych tua'r llygaid. Nid edrych *arnyn* nhw, ond edrych *ynddyn* nhw. I Owen, roedd llygaid fel ffenestri yn edrych i mewn i galon person.

Yng nghanol ei feddyliau, synhwyrai Owen fod Miss Smith ar ei ffordd yn ôl. Edrychodd draw ar bapur Owen.

'Owen, nid cyfle i ddiogi yw'r Clwb Celf. Rwyt ti wedi eistedd fan'na fel llo ers i ti ddod i mewn, a does dim byd ar y papur!'

Ond yna, yn ffodus iawn i Owen, cafodd sylw Miss Smith ei ddal gan lun Kez. Y sblotshys ar y goeden.

'Gogoniant!' meddai Miss Smith. 'Y goeden! Mae wedi ei thrawsnewid!'

Doedd Kez ddim yn deall beth oedd ystyr y gair 'trawsnewid', ond gallai ddweud o dôn llais Miss Smith ei fod yn rhywbeth da. 'Mae yna argyhoeddiad yn eich llun chi. Argyhoeddiad, brwdfrydedd a mynegiant, Ceinwen!'

Ceinwen! Ceinwen oedd Kez! Kez a Braz yn Ceinwen a Branwen! Gwenodd Owen yn dawel iddo'i hun.

Argyhoeddiad, brwdfrydedd a mynegiant. Doedd Ceinwen ddim wedi deall yr un o'r tri gair. Ond gwyddai'n iawn eu bod nhw'n golygu rhywbeth da!

Erbyn hyn, roedd Miss Smith wedi troi ei sylw at waith rhywun arall yn y dosbarth, ond roedd Kez yn dal i dywynnu yng ngwres y ganmoliaeth. Ailadroddodd rai o'r geiriau yn dawel iddi hi'i hun, ond yn ddigon uchel i Braz glywed.

'Trawsnewid... brwdfrydedd... argy... argyhodd...' meddai Kez, gan gael ychydig o drafferth efo'r gair olaf!

Roedd y geiriau'n ddigon uchel i Owen eu clywed hefyd.

'Argyhoeddiad,' meddai Owen, yn ddigon uchel i'r ddwy glywed.

Trodd Kez a Braz eu pennau am eiliad, Kez yn gwenu a Braz yn gwgu.

'Dyna ti,' meddai Kez wrth Braz, 'arhy...hoediad!'

'Be mae o'n feddwl?' gofynnodd Braz.

'*Blincin grêt!*' atebodd Kez.

Edrychodd Owen eto ar ei bapur. Roedd yn dal yn wag ac yn wyn. Roedd hi'n bryd iddo ddechrau. Doedd o ddim eisiau i Miss Smith ddod yn ôl a gweld dim byd ar y papur.

Gafaelodd mewn pensil.

Dechreuodd efo'r llygaid. Roedd wastad yn dechrau efo'r llygaid.

6

Pum munud i fynd. Gwers olaf y dydd. Roedd rhai o'r disgyblion wedi dechrau rhoi eu llyfrau yn eu bagiau, er bod Mr Jones, yr athro Hanes, yn dal i baldaruo am frwydr Bosworth. Doedd Hedd na Lisa ddim eisiau gwybod am Rhisiart III na Harri Tudur, nac unrhyw ddiddordeb o gwbl yn y ffaith fod y frwydr wedi digwydd ar Awst 22, 1485.

Doedd Owen chwaith ddim eisiau gwybod dim am hanes Harri, hyd yn oed ar ôl i'r athro sôn am daid Harri Tudur, ac mai Owen oedd enw hwnnw hefyd, a'i fod yn dod o Sir Fôn. Roedd gan yr Owen hwn fwy o ddiddordeb yn y lluniau oedd ar y wal ym mlaen y stafell. Roedd yr athro wedi bod yn siarad am awr, a heb ddangos unrhyw lun o gwbl. Roedd diddordeb Owen yn y wers wedi hen ddiffodd.

Dwy funud i fynd, a'r athro wedi sylwi erbyn hyn fod yna rai ar eu traed, yn barod i fynd. Yr unig un a oedd yn eistedd oedd Owen.

'Eisteddwch! Dydy'r wers ddim wedi gorffen eto,' bloeddiodd yr athro.

Pe bai hi'n unrhyw wers arall ar wahân i'r wers olaf, byddai pawb wedi'i anwybyddu, ond gan fod y gloch mynd adre bron â chanu, y peth callaf i'w wneud oedd ufuddhau, neu byddai pawb yn cael eu cadw i mewn ar ôl y gloch, wedi i'r ysgol gau.

'Un cwestiwn arall, ac os cewch chi'r ateb yn gywir, gewch chi fynd cyn y gloch.' Gweddïai Mr Jones y byddai rhywun yn cael yr ateb yn gywir. Roedd o eisiau cael gwared arnyn nhw gyn gynted ag y gallai. Ond roedd wedi rhoi'r amod, ac felly roedd yn rhaid iddo ofyn y cwestiwn. 'Pa gwestiwn hawdd alla i ofyn?' holai iddo'i hun.

Edrychodd ar Owen. Oedd, roedd Owen fel petai wedi bod yn canolbwyntio drwy'r wers, yn edrych i'r tu blaen a heb fod yn siarad. Owen fyddai'r saffaf i allu ateb y cwestiwn, meddyliodd yr athro.

'*Owen*, be oedd enw taid Harri Tudur?' meddai, gan bwysleisio'r gair 'Owen'!

Pe bai unrhyw un arall o'r dosbarth yn gwybod, byddai wedi gweiddi'r ateb ar Owen er mwyn cael mynd. Ond roedd y diffyg sylw yn ystod y wers yn golygu nad oedd 'run ohonyn nhw'n gwybod yr ateb chwaith.

Roedd pawb yn dibynnu ar Owen.

'Tyrd, y ffŵl,' meddyliai'r athro'n flin, yn dawel iddo'i hun. 'Owen ydy dy enw di ac Owen oedd enw taid Harri Tudur. Pam ddiawl ti'n meddwl 'mod i wedi gofyn i ti?!'

Ond ni chlywai Owen feddyliau'r athro.

'C'mon, Owen,' gwaeddodd Hedd o'r cefn. 'Ma pawb arall yn gwbod!'

'Idiot,' meddai Llŷr. O bawb.

Yn sydyn canodd y gloch, a chyn i'r athro allu dweud dim, rhuthrodd y dosbarth allan o'r stafell. Pawb ond Owen. Owen oedd yr olaf bob tro yn rhoi'i lyfr a'i gas pensiliau yn ei fag ar ddiwedd y dydd er mwyn cael bod yr olaf i fynd allan. Fel hynny, fyddai o ddim yn gorfod dioddef y bwlio ar y ffordd at y bws. Byddai pawb arall wedi rhuthro at giatiau'r ysgol. Byddai Owen ryw ddeg cam y tu ôl i bawb arall.

Wrth gerdded i fyny grisiau'r bws, gallai Owen synhwyro bod llygaid pawb arno. Mae'n siŵr fod Hedd, Lisa neu Llŷr wedi dweud wrth bawb ar y ffordd at y bws fod Owen yn idiot. Ond roedd rhan ohono'n gobeithio yn erbyn gobaith mai dim ond yn ei feddwl roedd y cyfan.

'IDIOT!'

Clywodd Owen y geiriau'n ergydio ar ei galon. O, wel, pen i lawr amdani, ac i'r sedd wag agosaf. Sylwodd fod Llŷr yn eistedd y tu ôl iddo. Roedd Hedd a Lisa weithiau eisiau'r sedd ôl yn gyfan iddyn nhw'u hunain, ac yn gwahardd pawb rhag eistedd yno. Eisteddodd ac edrych allan trwy'r ffenest. Roedd y byd i gyd yn mynd yn ei flaen fel pe bai dim byd yn bod. Y fam ifanc a oedd yn gwthio'r pram ar hyd y palmant – oedd hi'n poeni am rywbeth? Yr hen ddyn a oedd yn eistedd ar y fainc – oedd ganddo fo gyfrinach a oedd yn ei gnoi'n fyw? Nac oedd, mae'n siŵr. Paid â bod yn wirion, Owen. Dim ond ti sy'n dioddef. Dim ond ti sy'n dioddef drwy'r byd i gyd. Mae pawb arall yn byw eu bywydau'n ddigon hapus, ac yn gwybod yn iawn am dy boen di. Hyd yn oed y fam ifanc a'r hen ddyn. Maen nhw i gyd yn rhan o'r gêm, ac yn clywed popeth amdanat ti gan Hedd, Lisa a'u ffrindiau.

Beth oedd o wedi'i wneud i haeddu hyn? Allai o fod wedi gwneud rhywbeth yn wahanol er mwyn cael ei dderbyn gan bawb? Allai o fod wedi dweud rhywbeth yn wahanol? Ai'r peth gorau oedd cadw'n dawel neu ateb 'nôl? Roedd wedi meddwl ganwaith mai ateb 'nôl fyddai orau. Pan oedd yn ei wely'n effro yn y nos yn poeni, roedd wedi cynllunio beth fyddai'n ei wneud drannoeth. Nosweithiau ar ôl nosweithiau o benderfynu y byddai'n ddewr y bore canlynol, ond er bod y bore'n dod, doedd y geiriau byth yn dod. Bachgen tawel oedd Owen, ond bachgen â'i du mewn yn gweiddi.

'Idiot.'

Atseiniai'r geiriau yn ei ben, ond canolbwyntiai Owen ar

sŵn cyson injan y bws. Unrhyw beth i dynnu'i feddwl oddi ar y chwerthin creulon.

Yn sydyn, cofiodd am y llun. Y llun! Roedd wedi anghofio edrych arno'r bore hwnnw. Dechreuodd deimlo'n well. Heb feddwl eilwaith, fe'i cafodd ei hun yn troi i wynebu Llŷr er mwyn rhannu'i gyfrinach. Unrhyw beth er mwyn ceisio cael Llŷr yn ffrind unwaith eto.

'Dwi wedi tynnu llun,' meddai Owen.

'Be?' atebodd Llŷr.

'Dwi wedi tynnu llun ar wal.'

'Ar wal?!'

'Ia.' Doedd Owen ddim yn siŵr a oedd yn difaru dechrau dweud wrth Llŷr ai peidio. Ond roedd wedi dechrau, a doedd dim troi 'nôl. 'Ti'n gwybod yr hen wal uchel ar ffordd y traeth, yn ymyl y lle maen nhw'n adeiladu'r tai newydd?' gofynnodd Owen.

'Ydw,' atebodd Llŷr, gan ymddangos yn ddidaro. Doedd o ddim eisiau i Hedd a Lisa weld ei fod wedi dechrau siarad efo Owen.

'Mae 'na lun mawr arno fo. Fi wnaeth o.'

Doedd Owen ddim yn siŵr sut y byddai Llŷr yn ymateb. Doedd Llŷr ddim yn gwybod sut i ymateb.

'Ti'm yn gall,' meddai Llŷr.

'Dwi'n gwbod,' atebodd Owen yn dawel.

Trodd Owen yn ei ôl i wynebu'r tu blaen. Ymhen ychydig eiliadau, daeth cwestiwn o'r sêt y tu ôl i Owen. Aeth chwilfrydedd Llŷr yn ormod iddo. Roedd o eisiau gwybod.

'Llun o be ydy o?' gofynnodd Llŷr.

'Cartŵn. Cartŵn o ddyn mawr tal,' atebodd Owen, yn falch o gael rhyw fath o sgwrs efo'i hen ffrind.

Un tro arall yn y ffordd, a byddai'r bws yn mynd heibio i'r wal. Cliriodd Owen yr ager o'r ffenest efo llawes ei gôt. Roedd o'n eistedd ar yr ochr iawn i weld y llun. Roedd o'n wynebu'r ffordd iawn hefyd.

O'r diwedd, gallai weld y wal. Ond cafodd y fath siom. Doedd y llun ddim yno. Dim ôl o gwbl.

Edrychodd Llŷr a gweld wal blaen, wag. Yr un mor blaen a gwag ag arfer.

'Be, y wal yna?' gofynnodd Llŷr gan bwyntio at y wal wag.

'Ia,' atebodd Owen, yn methu credu'i lygaid.

'Licio dy lun di,' meddai Llŷr yn goeglyd. 'Idiot!'

'Ond mi wnes i dynnu llun. Wir yr,' atebodd Owen. Edrychodd 'nôl er mwyn siarad, ond y cwbl a welai oedd Llŷr yn cerdded tuag at Hedd a Lisa.

'Ond mi wnes i dynnu llun, wir yr,' meddai Owen yn dawel wrtho'i hun.

Fedrai ddim credu'r peth. Roedd o wedi treulio dros awr allan yn awyr oer y nos yn peintio. Edrychodd ar ei ddwylo. Roedd y dafnau lleiaf o baent ar ei ewinedd a'i fysedd yn profi iddo nad breuddwydio'r cyfan yr oedd wedi'i wneud. Roedd yn falch o'u gweld. Roedd y dotiau bach yno, yn brawf iddo nad oedd yn dechrau colli arno'i hun yn llwyr. Ond os oedd y paent yn dal ar ei ddwylo, i ble roedd y paent ar y wal wedi mynd?

Roedd hi'n amlwg fod Llŷr wedi cael croeso yng nghefn y bws. Wedi'r cyfan, roedd ganddo stori dda i'w dweud. Stori am fachgen oedd yn meddwl ei fod wedi tynnu llun mawr ar wal, ond bod y llun wedi diflannu erbyn y diwrnod wedyn. Stori am fachgen yn dweud celwydd. Clywai Owen floeddiadau o chwerthin a gallai deimlo llygaid o'r sedd gefn yn llosgi cefn ei ben. Pam roedd yn rhaid iddo agor ei hen geg fawr?! Fyddai neb wedi cael gwybod, petai ond wedi cadw'r peth yn llwyr iddo fo'i hun.

Arhosodd y bws. Cododd Hedd ar ei draed a dechrau cerdded.

'Llun da! Llun da o ddim byd!' meddai Hedd yn goeglyd, cyn iddo roi ergyd galed i gefn pen Owen. Gallai Owen ei glywed yn chwerthin ymhell wedi i'r bws ddechrau eto ar ei daith.

Eisteddai Dafydd Einstein, a'i ben yn ei lyfr. Ei lygaid yn dilyn y geiriau ond ei glustiau'n gwrando ar bopeth a ddigwyddodd.

7

'Llun da! Llun da o ddim byd!'

Clywai Owen eiriau Hedd yn curo'n ei ben wrth iddo gerdded 'nôl i'w dŷ. Doedd Llŷr ddim wedi torri gair ag o wrth i'r ddau ddod oddi ar y bws. Bu adeg pan fyddai'r ddau wedi treulio amser yn siarad ac yn chwerthin o dan gysgod yr arhosfan bysus, o wneud hwyl am ben athrawon i ddiawlio'r gwaith cartref Mathemateg – hyd yn oed yn treulio amser yn *ceisio* gwneud y gwaith cartref Mathemateg cyn cyrraedd adref. Ond y cwbl a welai Owen y diwrnod hwnnw oedd cefn Llŷr yn diflannu i'w stryd. Doedd o ddim am siarad â bachgen oedd yn dweud straeon tylwyth teg am luniau nad oedd yno o gwbl.

'Llun da! Llun da o ddim byd!' Clywai'r geiriau eto, a theimlo ergyd Hedd yn dal yng nghefn ei ben.

Y llun! Sut roedd y llun wedi diflannu? Oedd, roedd hi wedi bod yn bwrw glaw'r diwrnod hwnnw. Ond doedd bosib fod y glaw wedi golchi'r paent i gyd i ffwrdd.

Y paent! Pa fath o baent oedd o? Oedd o'n baent y byddai dŵr yn gallu'i olchi? Dechreuodd Owen redeg nerth ei draed. I mewn i'r stryd. I mewn i'w dŷ. I fyny i'w stafell wely. Twriodd o dan ei wely, a thynnu'r caniau paent allan. Arnyn nhw gallai weld yr un gair pwysig. *Permanent!* Darllenodd yn ei flaen. Oedd, roedd y paent hwn i fod yn baent oedd yn para am byth. Trwy haul a glaw, mellt a tharanau, gwynt ac eira. Ond doedd o ddim wedi para noson!

'Owen!'

Llais ei fam yn gweiddi.

'Owen!!' Llais ei fam yn gweiddi'n uwch. 'Swper yn barod.'

Penderfynodd Owen nad oedd eisiau swper. Gorweddodd ar ei wely'n meddwl. Meddwl am y llun, meddwl am y paent, ac am Miss Smith yn rhoi stŵr iddo. Meddwl am Hedd a Lisa'n pigo arno'n ddiddiwedd. Meddwl am Llŷr. Y Llŷr a fu unwaith yn ffrind, ond erbyn heddiw wedi troi'n un ohonyn *nhw*.

Teimlai ei lygaid yn pwyso'n drymach ac yn drymach. Erbyn iddyn nhw gau, roedd un deigryn bach wedi cronni a dechrau disgyn nes mynd ar goll yn y gobennydd. Wyddai neb am y deigryn. Dim ei fam. Dim Hedd, na Llŷr. Neb. Ddim hyd yn oed Owen.

★

Y bore wedyn, yr un oedd diflastod y daith i'r ysgol i Owen. Arhosai am y bws ar ei ben ei hun. Roedd Kez a Braz yn siarad â'i gilydd, Llŷr a Lisa'n chwerthin a sibrwd fel hen ffrindiau yn y sedd gefn a Dafydd Einstein a'i ben yn y cymylau yn meddwl am Ffiseg. Ac Owen yn meddwl am ei lun. Roedd Dafydd wrthi'n meddwl am ffordd i ddatrys rheolau'r cosmos. Roedd Owen wrthi'n meddwl am ddatrys y broblem pam bod y llun wedi diflannu. Dafydd oedd agosaf at ateb i'w broblem.

Roedd hyn yn dal i fynd trwy'u meddyliau pan gamodd Hedd ar y bws. Mae'n rhyfedd sut mae'r meddwl yn gallu newid o un peth i'r llall mor gyflym. Diflannodd y llun o feddwl Owen yn llwyr, a chanolbwyntiodd ar beidio ag edrych ar Hedd. Rhythodd allan trwy'r ffenest yn y gobaith nad oedd am gael ergyd y bore hwnnw. Doedd dim raid iddo boeni. Trwy'r ffenest, roedd Hedd wedi gweld chwerthin a sibrwd Lisa a Llŷr.

Brasgamodd i gefn y bws a rhoi ergyd gas i Llŷr, nes roedd hwnnw'n gwingo ar lawr. Cafodd rhai o'r plant fraw wrth weld Hedd yn ymddwyn mor greulon.

'Ti wedi dysgu dy wers rŵan, boi. Fi sy bia Lisa! Dallt?' gwaeddodd Hedd.

Roedd Llŷr mewn gormod o boen i ateb. Straffaglodd i un o'r seddi yng nghanol y bws, gan ddal ei wyneb mewn poen. Gallai Owen weld ei fod wedi cael andros o ergyd.

'O'dd raid i ti neud hynna?' gofynnodd Lisa.

'Gwranda, os ti'n mynd i chwara *silly buggers* efo rhywun arall, mae o'n haeddu slap,' meddai Hedd yn gadarn.

'Ond...' ceisiodd Lisa dorri ar ei draws.

'Ac os wela i rwbath fel'na eto, dim fo fydd yr unig un fydd yn ei chael hi. Dallt?'

Eisteddodd Lisa'n ddistaw am weddill y daith.

Doedd y wal ddim wedi croesi meddwl Owen ar y daith i'r ysgol. Roedd yn teimlo dros Llŷr. Er bod Llŷr wedi bod yn treulio amser efo Hedd a Lisa yn ddiweddar ac wedi dechrau anwybyddu'i hen ffrind, doedd Owen ddim yn meddwl ei fod o'n haeddu'r ffasiwn ergyd. Eistedd ar ei ben ei hun yn rhes flaen y dosbarth roedd Owen. Roedd gweddill y dosbarth yn siarad nerth eu pennau mewn criwiau nes bod eu sŵn i gyd yn toddi'n un ym meddwl Owen. Doedd dim athro wedi dod atyn nhw, felly sŵn amdani!

Daeth y llun ar y wal yn ôl i feddwl Owen.

Petai ond wedi edrych ar y wal, efallai y byddai wedi gallu gweld rhyw arwydd o baent.

Petai ond wedi edrych ar y wal, byddai wedi cael sioc ei fywyd.

Roedd y llun yno.

8

Yn sydyn, agorodd y drws a Mr Hughes, y dirprwy brifathro, yn stwffio'i drwyn i mewn i'r stafell.

'Ydy Mr Wiliam wedi bod yma?' gofynnodd Mr Hughes i Owen. Owen oedd yr unig un a oedd wedi sylwi bod Mr Hughes yno.

'Naddo, ddim heddiw,' atebodd Owen.

'Ond mae'n chwarter i naw! O'n i'n gwybod bod rhywbeth od amdano fo pan welais i o gynta. Lle mae o?'

Gyda hynny, aeth Mr Hughes allan heb aros am ateb.

Ymhen chwarter awr, canodd y gloch, a neb wedi dod i gofrestru'r dosbarth.

Gwers Gymraeg oedd y wers ddilynol, felly gallai Owen aros yn ei sedd unwaith eto. Daeth Hedd a Lisa a gweddill eu criw cofrestru i'r stafell. Llŷr oedd yr olaf. Edrychodd Owen ar ei wyneb. Roedd ei lygad yn ddu. Ceisiodd Llŷr guddio'i friw gymaint â phosib, ac aeth i eistedd wrth y wal bellaf. Trodd ei ben at y wal. Doedd o ddim am i neb weld ei lygad. Pendronodd Owen a ddylai fynd ato. Roedd Llŷr yn eistedd ar ei ben ei hun. Wedi'r cyfan, roedd y ddau wedi bod yn ffrindiau ers blynyddoedd. Teimlodd Owen fod angen ffrind ar Llŷr. Cafodd dipyn o ergyd gan Hedd, ac roedd Owen wedi'i chlywed, ac wedi'i theimlo, o'r lle roedd yn eistedd ym mlaen y bws.

Edrychodd draw at Llŷr eto. Erbyn hyn, roedd â'i ben ar y ddesg, yn amlwg mewn poen.

Cyn i Owen gael cyfle i godi i fynd ato, stwffiodd Mr Hughes ei ben drwy'r drws eto.

'Ydy Mr Wiliam wedi cyrraedd?' gofynnodd.

'Naddo,' meddai Owen am yr eildro.

'Damia,' meddai Mr Hughes o dan ei wynt, ond yn ddigon uchel i Owen glywed. Yna, cyn iddo fynd allan, ychwanegodd, 'Jyst arhoswch yn ddistaw tan bydd rhywun yn cyrraedd.'

Doedd fawr o bwynt i Mr Hughes ddweud y geiriau. Dim ond Owen oedd yn gwrando.

★

Mewn rhan arall o'r ysgol, roedd Mr James, Ffiseg, newydd ddechrau ceisio egluro magnedau i hanner blaen y dosbarth a oedd â diddordeb. Eistedd yn yr hanner ôl roedd Kez a Braz.

'Sbia ar y llun rîli cŵl 'ma, Braz!'

'Waaaw! Ma hwnna'n ffantastig! Pwy na'th o?'

'Sut dwi fod i wbod?' atebodd Kez.

Roedd Kez wedi clywed ei ffôn yn crynu'n ysgafn yn ei phoced. Roedd hanner ohoni'n dweud wrthi am beidio â thynnu'r ffôn allan, ond roedd yr hanner arall yn rhy fusneslyd i aros tan amser egwyl i weld beth oedd y neges. Felly allan â'r ffôn. Roedd Mr James â'i feddwl yn rhy llawn o fagnedau i sylwi beth oedd dwy ferch yn ei wneud yng nghefn y dosbarth.

'Sut gest ti'r llun?'

'Mam na'th roi o ar Facebook. Ma hi'n deud 'i bod hi wedi'i weld o yn y dre peth cynta bora 'ma ar ei ffordd i'r gwaith,' meddai Kez.

'Be, yn dre ni?'

'Ia.'

'Mae'n o'n bril, dydy!' meddai Kez

'Ydy, mae o,' atebodd Braz.

'A dim sblotshys yn agos ato fo!'

★

'Ond Mr Hughes, dwi wedi trio'i ffonio fo a does dim ateb.'

Roedd Mr Hughes wedi dechrau gwylltio efo'r ysgrifenyddes.

'Wel, Lydia, ella bod y rhif anghywir ganddoch chi. Mae 'na ddeg aelod o staff yn sâl ac mae'r wers gynta wedi cychwyn yn barod. Oes 'na rywun arall allwch chi drio?'

'Dwi wedi trio pawb. Does neb ar gael.'

'Ond sut gawsoch chi afael ar hwn ddoe?'

'Mr Wiliam? Nid fi gafodd afael arno fo. Fo gafodd afael arnaf fi,' atebodd yr ysgrifenyddes.

'Be dach chi'n feddwl, Lydia?' gofynnodd Mr Hughes.

'Wel, pan gyrhaeddais i'r swyddfa bora ddoe, roedd y ffôn yn canu, a fo oedd yno yn gofyn a oeddan ni isho athro cyflenwi. Wel, o'n i'n gwbod 'yn bod ni'n brin, felly mi ddudis i "iawn" wrtho fo.'

Gwyddai Mr Hughes fod Lydia wedi torri pob rheol oedd yn bod wrth adael i ddyn nad oedd yr ysgol yn ei nabod i ddod i mewn i ddysgu. Ond petai'r Diafol ei hun wedi ffonio i gynnig helpu'r ysgol y diwrnod hwnnw, mae'n siŵr y byddai Mr Hughes wedi dweud wrth Lydia am ei dderbyn.

Byddai unrhyw beth yn well na bod Mr Hughes ei hun yn gorfod goruchwylio dosbarth.

*

Amser cinio yn y Clwb Celf, ac roedd Kez a Braz yn dal i drafod y llun ar y ffôn.

'Ma hwnna'n *awesome*,' sibrydodd Braz.

Roedd Braz wrthi'n canmol y llun ar y ffôn symudol, pan gerddodd Owen i mewn i'r Clwb Celf. Cerddodd heibio i fwrdd y ddwy, a digwydd edrych i lawr ar y ffôn. Methai â chredu'i lygaid! Wrth iddo gyrraedd ei sedd, gallai dyngu'i fod wedi gweld y llun ar ei ffôn hi. Y llun ar y wal!

'Ceinwen!'

Sŵn Miss Smith yn gweiddi.

Edrychodd Kez mewn ofn ar yr athrawes. Y ffôn! Roedd hi'n mynd i gymryd y ffôn oddi wrthi! Yn ffodus, roedd Kez a Braz fel dwy chwaer, yn deall ei gilydd i'r dim. Cododd Kez yn sydyn a cherdded at Miss Smith gan adael y ffôn ar ei chadair. Unwaith yr oedd hi rhwng y bwrdd a Miss Smith, cipiodd Braz ffôn ei ffrind oddi ar y gadair, a'i roi yn ei bag ei hun, heb i'r athrawes ei gweld.

'Oedd gynnoch chi ffôn?'

'Fi? Nag oedd, Miss,' atebodd Kez, yn gobeithio y byddai Braz wedi gwneud ei gwaith o guddio'r ffôn.

Doedd dim angen iddi boeni. Roedd y ffôn yn saff yng ngwaelodion bag Braz.

Dechreuodd Owen ei amau ei hun. A oedd wedi gweld y llun yn iawn? Efallai ei fod wedi gwneud camgymeriad. Dim ond am eiliad yr oedd wedi gweld y llun. Y llun ar y wal! Oedd, mae'n siŵr fod ei lygaid yn chwarae triciau ag o.

Penderfynodd Owen y byddai'n gofyn i Kez ar y daith adre.

9

Roedd y ffordd adre'n brofiad braf i Owen. Roedd Lisa a Hedd yn rhy brysur i bigo arno, ac yn eistedd yn ddigon pell. Ond heddiw, dim ond un peth oedd ar feddwl Owen, sef dal ar y cyfle i holi Kez a Braz. Yn ôl ei arfer, Owen oedd yr olaf ar y bws, a thaflodd olwg frysiog i weld ble roedd Kez a Braz yn eistedd. Suddodd ei galon wrth weld eu bod yn eistedd yn agos i'r cefn. Doedd o ddim am fentro i'r fan honno. Tra oedd Hedd o gwmpas.

Eisteddodd Owen yn ei sedd arferol.

Roedd y daith o'r ysgol yn arafach nag arfer y diwrnod hwnnw. Prin yr oedd y bws yn symud. Tybed a gâi Owen y cyfle i holi'r ddwy wedi iddyn nhw ddod oddi ar y bws? Ond beth oedd yn mynd i ofyn? 'Ga i weld dy ffôn di?' Gwyddai Owen nad oedd ganddo'r gyts i ofyn y fath gwestiwn.

Ymhen ychydig, gallai Owen weld beth oedd yn achosi'r holl draffig. Roedd goleuadau ffordd o'u blaenau. Symudai'r cerbydau fel malwod ar hyd y ffordd. Pawb eisiau mynd adref yr un pryd.

Doedd Llŷr ddim yn eistedd yn y cefn. Roedd y clais yn dal o amgylch ei lygad, ond yr hyn oedd yn ei atgoffa'n fwy o ergyd y bore oedd y boen yn ei galon. Fedrai ddim wynebu Lisa a Hedd. Eisteddai un sedd y tu ôl i Owen.

Yn sydyn, cododd Owen. Doedd o ddim wedi bwriadu gwneud. Cyn iddo allu meddwl yn iawn, fe'i cafodd ei hun yn cerdded 'nôl i gyfeiriad Kez a Braz.

'Be ddiawl ti'n meddwl ti'n neud?' meddyliodd iddo'i hun. 'Dos 'nôl i eistedd rŵan, a phaid â bod mor stiwpid.'

Ond roedd llais arall y tu mewn iddo'n dweud, 'Na, dos yn dy flaen. Mae'n rhaid i ti ofyn am y llun. Mae'n rhaid i ti'i weld o.'

Yr ail lais enillodd.

'Helô, Kez,' meddai Owen, wrth eistedd i lawr yn y sedd gyferbyn.

Dechreuodd y ddwy gael ffit o gigls.

'Sbia, ma Owen yn trio *chat*io Kez i fyny,' chwarddodd Lisa.

'Ma hi lot rhy ifanc i chdi, y mochyn,' ychwanegodd Hedd.

Teimlodd Owen gryfder o rywle. Roedd pob greddf yn ei gorff yn dweud wrtho y dylai fynd 'nôl i'w sedd, a pheidio â thynnu sylw ato'i hun. Ond aros i siarad wnaeth Owen.

'Oeddech chi'ch dwy'n siarad am lun ar y ffôn amser cinio heddiw?' gofynnodd.

Roedd Kez wrth ei bodd bod bachgen hŷn wedi dod i siarad â hi, ac aeth yn syth am ei ffôn.

'Tisho'i weld o? Mae o'n ffantastig, yn tydi, Braz?'

'Ydy,' meddai Braz yn ddidaro, ychydig yn genfigennus. Dim ond Owen oedd o, ond byddai unrhyw fachgen wedi gwneud y tro i Braz.

Doedd dim taw ar Kez. 'A ti'n gwbod be, mae o 'run fath yn union â rhyw athro gathon ni yn yr ysgol ddoe. *OMG*, am foi *weird*. Sbia Braz, fo ydi o. Mae o'n edrych ac yn gwisgo'r un fath â fo.'

Doedd dim angen i Owen weld y llun. Cofiodd sut olwg oedd ar Mr Wiliam. Cofiodd y cartŵn a dynnodd ar y wal. Wrth gwrs, dyna pam roedd Mr Wiliam yn ei atgoffa o rywun. Roedd Owen wedi tynnu llun rhywun union yr un peth â Mr Wiliam ar y wal, a dyma'r union gartŵn hwnnw'n cerdded i mewn i'r stafell ddosbarth. Ond i ble roedd y llun wedi mynd ddoe?

'Kez, pryd dynnodd dy fam y llun?'

'Bora 'ma, ar y ffordd i'r gwaith,' atebodd Kez.

Roedd Owen wedi drysu'n lân. Sut yn y byd roedd mam Kez wedi tynnu'r llun bore 'ma, a'r llun ddim yno neithiwr?

Erbyn hynny, roedd y bws wedi dechrau symud eto. Dechreuodd Owen gerdded 'nôl at ei sedd ym mlaen y bws. Cyn iddo gyrraedd, clywodd Kez yn sgrechian.

'Sbia, dyna fo! Y llun!'

Trodd Owen. Bu bron iddo ddisgyn. Roedd y llun yno. Eisteddodd, wedi drysu'n llwyr. Doedd y llun ddim yno ar y ffordd o'r ysgol ddoe. Roedd pawb wedi gweld hynny. Roedden nhw hyd yn oed wedi tynnu'i goes ynglŷn â'r peth.

'Ti wedi bod yn brysur neithiwr.' Llais cas Llŷr y tu ôl iddo.

Edrychodd Owen eto rhag ofn ei fod wedi gweld pethau. Oedd, roedd y llun yno. Erbyn hyn, roedd pob un ar y bws wedi codi ar ei draed, pob un wedi gwasgu'i ben yn erbyn y ffenest er mwyn cael gwell golwg ar y llun.

'Mr Wiliam, y boi newydd!' gwaeddodd rhywun.

Torrodd bonllefau o chwerthin dros y bws.

'Hei, pwy wyt ti'n feddwl wyt ti? Bancsi?' gwaeddodd Lisa. Gallai Owen deimlo'i wegil yn cochi, a dechreuodd chwysu.

'Pwy ydy Bancsi?' holodd Daniel, un o'r bechgyn a oedd yn dilyn Hedd a Lisa i bob man. Roedd y criw wedi cael gwahoddiad i fynd i gartre Lisa ar ôl ysgol, cyn mynd i weld ffilm. Roedd Daniel a Ben wedi mentro ar y bws, er nad oedd hawl gwneud hynny heb docyn. Sylwodd y gyrrwr ddim.

'Ti ddim yn gwbod pwy ydy Bancsi?' holodd Ben, ei ffrind, yn wawdlyd.

'Oreit, *clever clogs*,' meddai Daniel. 'Pwy ydy o 'ta?'

'Artist ydy o. Mae o'n gwneud graffiti rownd pob man,' meddai Lisa.

'Artist ydy o. Mae o'n gwneud graffiti. Rownd pob man,' ailadroddodd Ben yn syth.

'O't ti ddim yn gwbod. Ti jyst yn lwcus bod Lisa'n gwbod,' meddai Daniel.

Roedd Lisa'n iawn. Bancsi oedd arwr mawr Owen. Y dyn lledrithiol hwnnw a oedd yn creu graffiti yn ystod y nos, ond erbyn y bore, roedd yr arlunydd wedi diflannu, gan adael ond y llun. Ond yn hanes Owen, y llun oedd yn diflannu a'r artist yn aros. O! Pam na allai ddiflannu fel ei arwr? Creu ei gelf, yna diflannu.

Difarai â'i holl enaid iddo ddweud wrth Llŷr. Pe na bai wedi dweud, fyddai neb wedi dod i wybod.

Erbyn hyn, roedd y bws wedi dechrau ar ei daith, a'r traffig wedi lleihau.

'Hei, Bancsi Bach,' gwaeddodd Hedd arno o'r sedd gefn, 'os wela i'r athro *weird* 'na fory, dwi am ddeud wrtho fo. Mae'r *evidence* gen i ar y ffôn!' meddai gan ddangos ei ffôn ei hun i Owen.

'Pam ddiawl 'nest ti dynnu'i lun *o* ar y wal?' gofynnodd Llŷr, a oedd yn dal i eistedd y tu ôl i Owen.

'Dim ei lun o ydy o.'

'Ond mae o'n union 'run fath,' atebodd Llŷr.

'Dwi'n gwbod, ond dim fo ydy o. Do'n i ddim hyd yn oed wedi'i weld o pan dynnais i'r llun.'

'Dwi'n meddwl dy fod di wedi tynnu'r llun neithiwr. Mae'n rhaid dy fod di,' mynnodd Llŷr.

'Naddo,' atebodd Owen yn gadarn.

Eisteddai Dafydd Einstein yn dweud dim. Ond unwaith eto, roedd wedi gweld a chlywed popeth.

10

Deffrodd Owen heb wybod faint o'r gloch oedd hi. Ymbalfalodd am ei ffôn, a gweld nad oedd hi'n ddim ond hanner awr wedi pedwar y bore. Llifai golau'r stryd trwy'r bwlch yn y llenni, a cheisiodd fynd 'nôl i gysgu. Ond roedd gormod o bethau'n rhuthro trwy'i feddwl. Roedd wedi meddwl am y llun ganwaith ar ôl iddo gyrraedd adre. Oedd yna unrhyw ffordd o gwbl y gallai fod wedi gweld Mr Wiliam o'r blaen? Doedd o'n sicr ddim wedi bod yn dysgu yn yr ysgol o'r blaen. Ai cyd-ddigwyddiad oedd o? Mae cyd-ddigwyddiadau'n digwydd weithiau. Roedd Owen wedi clywed digon o straeon am efeilliaid yn cyfarfod â'i gilydd ar ôl blynyddoedd o fod ar wahân, neu ddau berson efo union yr un enw'n eistedd wrth ymyl ei gilydd ar sedd mewn awyren.

Wrth gwrs bod cyd-ddigwyddiadau'n digwydd. A chyd-ddigwyddiad oedd hwn. Y gwallt gwyn cyrliog, y sbectol gron, lliw'r siaced a'r trowsus a'r sanau. Ia, cyd-ddigwyddiad oedd o, mae'n siŵr. Ac eto...

Doedd Owen ddim yn meddwl ei fod wedi mynd 'nôl i gysgu, ond mae'n rhaid ei fod wedi gwneud achos cafodd ei ddeffro'n sydyn gan larwm ei ffôn yn canu. Diffoddodd y larwm, a disgyn yn ôl i fyd lle nad oedd neb yn gas wrth ei gilydd, a byd lle roedd gan bawb yr hawl i dynnu lluniau ar waliau unrhyw awr o'r dydd a'r nos.

Doedd Owen ddim yn siŵr beth oedd wedi'i ddeffro'r eildro, ond gwelodd ar ei ffôn ei bod hi'n hwyr.

'Damia!' gwaeddodd yn uchel, a rhuthrodd i wisgo

amdano. Pum munud oedd ganddo i gyrraedd y bws. Doedd o erioed wedi bod mor hwyr â hyn o'r blaen.

Rhuthrodd allan trwy'r drws a charlamu tuag at yr arhosfan bysus.

Gallai weld bod pawb arall yno.

Gallai weld bod y bws yn cyrraedd.

Gallai weld y drws yn agor a phawb yn camu ar y bws... a gallai weld y bws yn cychwyn hebddo.

Y peth olaf a welodd oedd pen Lisa'n edrych arno dros ben y seddi cefn, ac yn chwerthin nerth ei phen wrth godi'i llaw arno.

Doedd dim i'w wneud ond cerdded. Ond i ba gyfeiriad? Byddai'n cymryd tua hanner awr i gerdded i'r ysgol. Dim ond pum munud gymerai iddo gerdded adref. Gallai ddweud wrth ei fam fod ganddo gur yn ei ben neu rywbeth. Gallai aros adre. Diwrnod i ffwrdd o'r ysgol heb orfod poeni am unrhyw wers, ac yn fwy na dim, heb orfod poeni am unrhyw fwlio gan Hedd, Lisa, Llŷr na neb.

Ond heb iddo sylwi, roedd Owen wedi dechrau cerdded tua'r ysgol. Roedd pob llais ynddo'n dweud wrtho am fynd adre, ond roedd rhywbeth dyfnach yn ei annog ymlaen i'r ysgol.

Dechreuodd fwrw glaw'n drwm. Ond doedd dim ots. Gwyddai Owen beth oedd rhyngddo a'r ysgol. Y wal. Tybed oedd y llun yno? Allai Owen ddim bod yn siŵr o unrhyw beth erbyn hyn.

Wrth iddo droi'r gornel, a'r pyllau dŵr yn mynd yn fwy ac yn fwy o dan ei draed, cyrhaeddodd y wal. Ac yno, yn sefyll ddeg troedfedd o uchder uwch ei ben roedd y llun. Pwysodd yn erbyn giât o flaen y wal ac astudio'r llun. Edrychodd ar y llygaid. Rhythodd arnyn nhw, a gallai daeru eu bod yn rhythu'n ôl arno yntau. Roedd sŵn peiriant cymysgu sment yr adeiladwyr yn canu'n gras yn ei glustiau, ond doedd Owen ddim yn ei glywed. Y gweld oedd yr unig beth oedd yn bwysig i Owen, gweld lliwiau'r llun yn gweiddi arno. Roedd Owen fel petai'n siarad â'r llun. Cynnal sgwrs efo wal!

'Hoi, be ti'n feddwl ti'n neud?'

Edrychodd Owen o'i amgylch a gweld un o'r adeiladwyr yn brasgamu tuag ato. Safodd Owen am eiliad, cyn dechrau rhedeg nerth ei draed. Wyddai o ddim pam ei fod yn dianc. Efallai fod yr adeiladwr yn meddwl ei fod am ddwyn rhywbeth. Neu efallai ei fod yn meddwl mai Owen oedd wedi gwneud y llun ar y wal, ac am roi stŵr iddo? Beth bynnag oedd y rheswm, rhedeg wnaeth Owen.

Gallai fod wedi penderfynu rhedeg adre ond, unwaith eto, penderfynu mynd tuag at yr ysgol a wnaeth.

Roedd yn gwybod y byddai'n hwyr. Doedd o erioed wedi bod yn hwyr o'r blaen. Roedd yn wlyb hyd at ei groen pan gerddodd trwy ddrysau'r ysgol. Fel petai hynny ddim yn ddigon o gosb ynddo'i hun, pwy oedd yn sefyll yn syth fel plismon wrth ddrws ei stafell ond Mr Hughes.

'Owen, wyt ti'n gwybod faint o'r gloch ydy hi?' taranodd Mr Hughes.

'Ydw, syr, tua hanner awr wedi naw,' atebodd Owen.

Doedd o ddim wedi croesi meddwl Owen fod yr ateb yn haerllug. Dim ond ateb cwestiwn yn onest wnaeth o. Ond nid felly y gwelai Mr Hughes bethau o gwbl.

'Paid ti byth ag ateb 'nôl fel'na, ti'n dallt?!' gwaeddodd Mr Hughes, gan blannu'i wyneb o fewn modfedd i wyneb Owen.

'Ydw, syr.'

'Rŵan, dos o 'ngolwg i,' ychwanegodd Mr Hughes.

Trodd Owen yn dawel, a dechrau cerdded i gyfeiriad yr Ystafell Gelf. Pan oedd hanner ffordd i lawr y coridor, clywodd Mr Hughes yn gweiddi unwaith eto, a'i lais fel ton o sŵn. 'Ac os byddi di'n hwyr i fan'na, Duw â'th helpo di, hogyn!'

Gallai Owen weld wynebau'n edrych allan drwy ffenestri'r stafelloedd dosbarth ar hyd y coridor i weld pwy oedd yn cael y ffasiwn stŵr. Cannoedd ohonyn nhw, a'u llygaid yn rhythu i'r un cyfeiriad. I gyfeiriad Owen. Allai o ddim diodde'r peth.

Roedd Owen yn casáu bod yn hwyr. Roedd cerdded i mewn hanner ffordd trwy wers yn teimlo'n chwithig. Roedd fel petai pawb arall yn gwybod rhywbeth yn barod, ac Owen yn gorfod dyfalu beth oedd wedi digwydd yn gynt yn y wers. Ac yn waeth byth, roedd pawb, unwaith eto, yn edrych arno.

Petai Owen ddim ond yn gwybod, roedd hi wedi bod yn wers ddiddorol iawn! Nid oherwydd Miss Smith. Roedd honno'r un mor sych a diflas ag arfer. Roedd hi wedi bod yn wers ddiddorol achos bod Hedd, Lisa a rhai o'u ffrindiau wedi dyfeisio gêm newydd. Roedd cael rhywbeth i wneud i'r awr o wers deimlo'n fyrrach yn rhywbeth yr oedd pob disgybl yn ei ganmol, ac felly pan ddywedodd Hedd ei fod yn mynd i'w dysgu sut i chwarae "pen, cefn, pen-ôl", roedd llygaid pawb yn pefrio!

'Iawn, fel hyn. Sbïwch yn ofalus,' sibrydodd Hedd yn y sedd gefn.

Aeth ati i dorri darn o rwber efo siswrn, a phan oedd Miss Smith wedi troi'i chefn ato, taflodd y darn ati, ond methodd y targed o drwch blewyn, a'r rwber yn hedfan heibio i glust chwith Miss Smith gan daro'r bwrdd gwyn. Sylwodd hi ddim.

'Damia!' ebychodd Hedd yn ddistaw. Fedrai Daniel ddim peidio chwerthin, ond distawodd yn gyflym wrth i Hedd roi cic iddo yn ei goes o dan y bwrdd.

'Ond lle mae'r pen, cefn a'r pen-ôl yn dod i mewn i'r peth?' gofynnodd Lisa.

'Mae'n hawdd,' atebodd Hedd. 'Ti'n gweld y rwber yma?' Torrodd Hedd ddarn arall o rwber, a'i ddal rhwng ei fys a'i fawd. 'Ti'n cael un pwynt os wyt ti'n llwyddo i daro Miss Smith yn ei chefn hi. Dau bwynt os ti'n taro'i phen-ôl hi. Ac os ti'n llwyddo i daro'i phen hi, ti'n cael tri phwynt. O, ia, mae'r rwber yn gorfod bod yn ddigon mawr i bawb allu'i weld o.'

Roedd Ben, ffrind Daniel, wedi torri dau neu dri darn o'i rwber o yn barod. Roedd wrth ei fodd. Unrhyw beth i beidio â gorfod gwneud gwaith.

Roedd Miss Smith yn dal i fynd o amgylch rhesi blaen y dosbarth. Wrth iddi blygu i lawr i edrych ar waith un o'i hoff ddisgyblion, teimlodd rywbeth yn ei tharo hi ar ei phen-ôl. Yr eiliad nesaf, gwaeddodd Daniel yn ddigon uchel i Miss Smith glywed, 'Dau bwynt!' Cafodd Daniel gic arall yn ei goes. Y goes arall y tro hwn, a'r cwbl a welai Miss Smith wrth edrych i gyfeiriad cefn y dosbarth oedd llond rhes â'u pennau i lawr, yn tynnu lluniau, pob un â'i lygaid ar ei waith, ac un bachgen o dan y ddesg yn gafael yn boenus yn ei ddwy goes.

11

Craffai Miss Smith yn ofalus ar bob un, ond yn ofer. Roedd ar fin rhoi stŵr i'r dosbarth cyfan, pan gerddodd Owen i mewn.

'Owen Davies!' gwaeddodd. 'Ti'n hwyr!'

'Sori, Miss. Methu'r bws,' atebodd Owen. Ond erbyn i Owen orffen y frawddeg, roedd Miss Smith wedi colli diddordeb ynddo, ac wedi mynd unwaith eto tuag at angylion y rhes flaen. Roedd Miss Smith hyd yn oed wedi anghofio am yr ergyd ar ei phen-ôl.

Chwiliodd Owen am y sedd bellaf oddi wrth Hedd, Lisa a'r criw. Yn ffodus, roedd sedd yn agos i'r blaen yn rhydd, a phlannodd Owen ei hun ar honno.

Ceisiodd edrych o'i amgylch i weld beth oedd y gweddill yn ei wneud. Y peth olaf oedd am ei wneud oedd gofyn i'r athrawes. Tynnodd bapur allan o'i fag, a'i roi ar y ddesg. Edrychodd ar y papur. Y papur gwyn, gwag, plaen. Roedd ar fin rhoi ei bensil arno pan synhwyrodd Miss Smith yn sefyll y tu ôl iddo. Er na allai'i gweld, gwyddai ei bod yno. Gallai'i chlywed hi'n anadlu. Gallai arogli'r hen bersawr myglyd roedd hi bob amser yn ei wisgo.

Rhoddodd flaen ei bensil ar y papur. Hyd yn oed wedyn, doedd ganddo mo'r syniad lleiaf i ba gyfeiriad oedd y pensil am fynd.

'Dwi'n disgwyl gweld llun da gynnoch chi, Owen Davies, erbyn diwedd y wers. Mae gynnoch chi hanner awr. Siapiwch hi!' bygythiodd Miss Smith. Erbyn i'r athrawes roi ei sylw i rywun arall, roedd meddwl Owen wedi crwydro. 'Llun o be dynna i?' meddyliodd. Gwelai'r papur gwyn unwaith eto yn rhythu arno. Yn ei dynnu i mewn. Yn ei wahodd i arllwys ei deimladau i gyd arno. Cyn i Owen sylweddoli beth oedd yn digwydd, roedd wedi tynnu llun pen. Pen mawr hyll, a chraith ar ei foch chwith. Disgynnai'r gwallt yn hir gan guddio un hanner yr wyneb. Roedd ganddo lygaid main, bygythiol, a'r rheiny erbyn hyn yn rhythu'n ôl ar Owen.

Yn sydyn, roedd gan Owen syniad. Tynnodd lun ysgwyddau cryfion, llydan. Lluniodd gyhyrau i'r breichiau, a'r dwylo fel dwy raw fawr. Roedd hwn yn mynd i fod yn dal. Mor dal â'r papur a fu unwaith yn wyn ac yn wag. Tynnodd luniau cyhyrau'r coesau'n dangos trwy'r trowsus. Lluniodd esgidiau mawr, cadarn. Y math o esgidiau na fyddech chi'n hoffi cael cic yn eich pen-ôl ganddyn nhw.

Edrychodd Owen ar y llun. Roedd rhywbeth ar goll. Edrychodd eto. Doedd o ddim yn ddigon bygythiol. Cafodd syniad. Tynnodd lun dau datŵ. Un ar bob braich. Un tatŵ yn dangos llun croes efo'r gair Lladin 'crux' arni a'r llall yn dangos llun angor efo'r gair Lladin 'ancora' i lawr ei ganol. Roedd o wedi gweld y lluniau a'r geiriau mewn llyfr yn yr ysgol rywbryd, a'r cyfan wedi aros yn ei feddwl fel lluniau mewn cofbin.

Eisteddodd yn ôl yn ei gadair. Ia, dyma'r math o fachgen y byddai Owen yn hoffi'i weld yn dod i'r ysgol. Rhywun tal, mawr, cryf. Rhywun na fyddai'n cymryd unrhyw nonsens. Rhywun i roi Hedd yn ei le.

'Be ti'n neud, Bancsi Bach?' Edrychodd Owen i fyny, a gweld Hedd yn sefyll gan edrych dros ei ysgwydd ar y llun. Roedd Owen wrthi'n rhoi stŷd yn nhrwyn y bachgen tal. 'Llun o dy fam, ia?!'

Chwarddodd Hedd, a chipio'r llun o afael Owen.

'Ty'd i fi gael gweld,' meddai Lisa. Aeth Hedd i'r cefn, a dangos y llun i'r rhes gyfan. Pe bai unrhyw un arall wedi tynnu'r llun, bydden nhw'n siŵr o fod wedi'i ganmol i'r cymylau. Ond gan mai Owen oedd yr artist, chwerthin ar ei ben wnaethon nhw.

'Be ddiawl ydy hwn i fod?' meddai Daniel, gan genfigennu'n ddistaw bach wrtho'i hun nad oedd o'n gallu tynnu cystal lluniau ag Owen.

'*Self-portrait*, mae'n siŵr,' atebodd Ben.

'O bwy?' gofynnodd Daniel.

'Pwy ti'n feddwl?' gofynnodd Ben.

'Dwi'm yn gwbod!'

'O Bancsi, y prat!' chwarddodd Ben.

'Ond sut o'n i fod i wbod?' atebodd Daniel.

Edrychodd Ben yn wirion ar Daniel. 'Os basat ti'n gwneud *self-portrait*, hunan bortread,' meddai'n araf gan roi pwyslais ar yr 'hunan', 'llun o bwy fasat ti'n dynnu?' Roedd Daniel mewn penbleth.

Yr eiliad honno, sylwodd Miss Smith fod yna ychydig gormod o sŵn yng nghefn y dosbarth. 'Sawl gwaith sy' isho i fi ddweud. Tawelwch a gwaith, dyna'r ddau beth dwi isho yn y dosbarth yma!' meddai'n flin.

Penderfynodd Lisa gael ychydig o hwyl. 'Miss, Daniel oedd isho gwbod be ydy hunanbortread.'

Daeth Miss Smith i gefn y dosbarth, wedi gwylltio efo'r rhes gefn am dynnu'i sylw. Edrychodd ar bapur Daniel. Gwelodd ei fod wedi tynnu llun pen mwnci. Pwyntiodd at y llun ac edrych ar Daniel. 'Dyna ti, Daniel. Dyna be ydy hunanbortread!'

Torrodd bonllefau o chwerthin, a Miss Smith am eiliad yn dawel falch o'i jôc. Doedd Daniel yn dal heb ei ddeall hi!

Gwelodd Hedd ei gyfle. Gwasgodd y llun a dynnodd Owen yn belen fach yn ei ddwrn a'i daflu ato. Fe'i tarodd yng nghefn ei ben.

'Tri phwynt!' gwaeddodd Hedd. 'Fi sydd wedi ennill!'

Cododd Owen y papur oddi ar y llawr, a'i roi yn ei boced.

★

Gorweddai Owen ar ei wely, a'i lygaid yn syllu tua'r nenfwd. Rhuthrai digwyddiadau'r dydd heibio yn ei feddwl. Roedd o wedi hen arfer â'r bwlio bellach. Y chwerthin ar ei ben, y galw enwau, cael ei adael ar ei ben ei hun. Anadlodd yn ddwfn gan geisio peidio â chrio. Doedd gadael i'r dagrau ddod ddim i fod, hyd yn oed yn breifat yn ei stafell wely. Ymladd roedd Owen wedi'i wneud ers blynyddoedd. Ymladd yn erbyn y bwlio. Ymladd y dagrau. Ymladd y... Ochneidiodd eto. Doedd o ddim yn siŵr beth roedd yn ymladd yn ei erbyn bellach.

Cofiodd am y papur yn ei boced. Estynnodd amdano a'i agor. Edrychodd ar y llun. Y bachgen mawr, cadarn, a'r tatŵs ar ei fraich a'r stỳd yn ei drwyn. Beth fyddai'n ei alw? Pa enw fyddai'n siwtio bachgen mawr fel hwn? Estynnodd am ei bensil, ac ysgrifennu'r enw 'Corey' ar waelod y llun. Yn sydyn, cafodd syniad. Cododd, ac edrych am y caniau paent o dan ei wely. Oedd, roedd digon ohonyn nhw. Gallai fynd ati i wneud llun arall ar y wal. Llun mawr o Corey.

12

Wrth eistedd yn ei sedd ar y bws ar y ffordd i'r ysgol y bore
canlynol, dim ond un peth oedd ar feddwl Owen. Y llun.
Ar ôl agor y papur y noson cynt, roedd wedi sleifio allan
o'r tŷ yn gwisgo dim byd ond dillad du. Roedd hanner nos
yn amser braf i Owen. Neb o gwmpas. Cyfle iddo fod ar
ei ben ei hun. Roedd rhai yn ofni'r nos. Gweld y nos yn
gyfle wnâi Owen. Yr un drefn ag arfer oedd hi. Tynnu'r
llun ar bapur mawr yn ei stafell wely. Torri tyllau bach yn
y llinellau, a defnyddio'r glud glas i osod y papur ar y wal.
Roedd y blociau mawr a'r darnau pren yn dal yno, diolch
i'r adeiladwyr araf!

Y gwaith nesaf oedd peintio dros lun yr athro tal.
Dechreuodd Owen wrth ei draed. Roedd rhywbeth yn
chwithig mewn chwistrellu dros lun roedd wedi cael gymaint
o bleser yn ei greu, ond dyna ni, roedd hi'n bryd i'r llun arall
fynd ar y wal. Doedd dim lle i'r ddau. Safodd ar ben y llwyfan
pren er mwyn cyrraedd rhan uchaf y llun. Erbyn hyn roedd
y rhan fwyaf o'r corff wedi diflannu o dan haen o baent du, a
dim ond y pen oedd ar ôl. Aeth yn syth at y gwallt – y gwallt
gwyn, cyrliog. Ar ôl i hwnnw ddiflannu, dechreuodd ar y
clustiau, y geg a'r bochau. Sylweddolodd Owen ei fod yn
gadael y llygaid tan y diwedd. Doedd o ddim eisiau peintio
dros y llygaid. Roedd rhywbeth yn rhyfedd mewn gweld
dau lygad yn rhythu arno, fel rhywun yn edrych trwy flwch
llythyrau ar y byd mawr y tu allan. Gafaelodd Owen yn
y chwistrellydd, edrych ar y llygaid tyner am y tro olaf, a
pheintio drostyn nhw.

Yn syth wedi i'r llygaid ddiflannu, sylweddolodd fod

problem fawr ganddo. Roedd y paent yn dal yn wlyb. Fyddai dim posib iddo fod yn peintio dros y paent du yn syth. Edrychodd ar y can. Paent yn sych ymhen dwyawr! Doedd dim dewis ganddo. Dwyawr o gwsg, ac yna 'nôl i'w waith.

Cuddiodd ei baent a'i offer i gyd y tu ôl i'r adeilad. Go brin y byddai neb yn dod o hyd iddyn nhw'r adeg honno o'r nos. Roedd Owen wedi hen arfer sleifio 'nôl a mlaen o'i dŷ heb i neb sylwi. Gosododd y larwm, a chafodd ddwyawr o gwsg trwm, yn llawn breuddwydion am lygaid a bwlis, paent a waliau.

Cyrhaeddodd yn ei ôl ac aeth yn syth at y wal i deimlo'r paent. Oedd, roedd wedi sychu ddigon iddo allu bwrw mlaen â'r gwaith. Aeth i nôl y papur a'r paent a neidiodd ar ben y llwyfan pren i ddechrau gludo'r papur i'r wal. Roedd yn dipyn o arbenigwr arni erbyn hyn.

Am ryw reswm roedd mwy o geir o gwmpas, ac felly roedd yn rhaid i Owen neidio oddi ar ei lwyfan ar flaen y wal yn aml er mwyn osgoi cael ei weld. Tua awr gymerodd i orffen y llun ac erbyn y diwedd roedd yn edrych yn union fel y llun ar ei bapur. Un bwli mawr yn rhythu i lawr arno. Roedd popeth am y bwli'n awgrymu'i fod o'n hen fachgen cas, bygythiol. O'r tatŵs ar ei fraich i'r stŷd yn ei drwyn. Oedd, roedd o'n hapus efo'r llun.

Sleifiodd Owen 'nôl i'r tŷ, a doedd ei fam ddim callach fod ei mab wedi bod allan unwaith eto yn anharddu un o waliau'r dref.

★

Roedd sŵn grwndi injan y bws bron â'i suo i gysgu, ond

cysgu oedd y peth olaf ar feddwl Owen. Cofiodd iddo sôn wrth Llŷr am y llun y tro diwethaf. Doedd o ddim am wneud yr un camgymeriad y tro hwn. Aros yn dawel, a dweud dim byd. Dyna roedd am ei wneud.

Wrth iddo edrych allan drwy'r ffenest, synhwyrodd fod rhywun wedi dod i eistedd ato. 'O na,' meddai'n dawel wrtho'i hun. Dyna'r peth olaf roedd o ei eisiau. Ond llais annisgwyl a glywodd yn siarad.

'Mae 'na rywbeth ar dy feddwl di bore 'ma.'

Dafydd Einstein! Trodd Owen, a gweld Dafydd yn eistedd yno. Sut roedd o'n gwybod?

'Sut wyt ti'n gwybod?' Daeth y geiriau o'i geg heb feddwl. Dylai Owen fod wedi dweud 'Na!' yn syml. Byddai hynny'n osgoi cwestiynau, ac yn osgoi gorfod ateb.

Roedd y wal yn agosáu. Ond yn lle dweud 'Na!', cafodd Owen ei hun yn cyfaddef y cyfan i Dafydd.

'Dwi wedi tynnu llun arall.' Yna aeth i boced ei gôt, a thynnu'r llun allan. 'Llun hwn dwi wedi'i wneud. Yn fawr fel y llall.' Roedd hi'n anodd gweld y llun i ddechrau gan fod y papur wedi'i blygu a'i wasgu gymaint o weithiau. Ond wrth i Owen lyfnhau'r papur ar ei liniau, daeth llun y bachgen yn fwy clir.

'Lle wyt ti wedi'i dynnu fo tro 'ma?'

'Yn lle'r llun arall. Ar yr un wal.'

Roedd y wal o fewn cyrraedd. Trodd Owen ei ben i edrych arno. Arhosodd Dafydd â'i wyneb tua'r tu blaen. Pe bai'r ddau wedi troi bydden nhw wedi tynnu sylw, ond synhwyrai Dafydd nad dyna oedd Owen ei eisiau.

Dafydd â'i wyneb tua'r blaen. Owen wedi troi am eiliad i edrych ar y wal. Hanner munud arall, a byddai'r wal yn dod i'r golwg. Chwarter munud.

Deg eiliad.

Naw. Am ryw reswm, roedd y llun hwn yn bwysig i Owen.

Saith. Wyddai o ddim pam.

Pump. Roedd wedi rhoi'i holl galon yn y llun.

Tri.

Dau.

Un.

Siom.

Dim ond wal wag oedd yno. Wal lwyd, wag.

Trodd Owen ei ben yn ôl i wynebu'r tu blaen. Fedrai ddim credu'r peth. Dyma'r ail waith i hyn ddigwydd. Tynnu llun y noson cynt, ac erbyn y bore roedd wedi diflannu.

Heb edrych ar Dafydd, dywedodd Owen yn ddistaw, fel petai'n ceisio perswadio'i hun ei fod yn wir, 'Mae'r llun wedi mynd!'

Poenai Owen fod Dafydd yn mynd i feddwl ei fod wedi dechrau dweud celwyddau eto. Ond doedd dim angen iddo boeni.

'Mi ddaw o'n ôl, 'sti,' oedd ateb tawel Dafydd.

13

Mathemateg oedd un o bynciau gwaethaf Owen. Doedd o erioed wedi gweld pwrpas y pwnc. Roedd o wedi dysgu'i dablau yn weddol yn yr ysgol gynradd, ond roedd tablau saith ac wyth yn dal yn broblem iddo. Roedd gan bawb ffôn erbyn hyn, a chyfrifiannell ar bob ffôn. Os oedd o eisiau gwybod beth oedd wyth lluosi saith, dim ond edrych ar y ffôn roedd angen ei wneud ac roedd yr ateb yno'n barod iddo. Roedd wedi penderfynu ar hyn ers dechrau Blwyddyn 8. Doedd o byth yn mynd i fod yn fathemategydd, felly beth oedd y pwynt?

Ond roedd yna un rheswm pam roedd Owen yn hanner hoffi gwersi Mathemateg eleni. Doedd Hedd ddim yn yr un dosbarth ag o. Oedd, roedd Lisa a Llŷr yno, a Ben a Daniel, ond doedden nhw ddim hanner mor wael pan oedd Hedd yn absennol o'r dosbarth. Sylwodd Owen fod Llŷr yn dal i eistedd ymhell oddi wrth Lisa, er nad oedd Hedd yno.

Roedd Mr Evans newydd roi problem fathemategol ar y bwrdd gwyn, ac yn disgwyl i'r dosbarth ei datrys.

Copïodd Owen y pos yn ei lyfr.

'Mae cwmni tacsi'n codi £2.50 am y filltir gyntaf, ac yna £1.40 am weddill y milltiroedd. Pa mor bell allai Mr Gwyn fynd gyda £25 os yw'n mynd i roi cildwrn o £3 i'r gyrrwr?'

Edrychodd Owen ar ei lyfr. Roedd o'n deall y cwestiwn, ond doedd ganddo mo'r syniad lleiaf sut i ddechrau mynd ati i'w ateb. Edrychodd o'i amgylch i gefn y dosbarth. Roedd Ben wrthi'n ceisio copïo gwaith Daniel. Roedd Daniel yn copïo gwaith Lisa, a Lisa'n copïo gwaith Llŷr.

'Dwi eisiau i chi ateb y pos yn y ffordd hawsaf posib,' meddai'r athro, wrth weld bod rhai yn amlwg yn cael trafferth i fwrw ati.

Yn sydyn, agorodd y drws, a cherddodd y disgybl rhyfeddaf yr olwg i mewn i'r dosbarth. Cododd pennau'r rhes gefn, a'u llygaid yn methu credu'r olygfa oedd o'u blaenau. Edrychodd Owen hefyd ar y disgybl. Roedd yn sicr ei fod wedi gweld hwn o'r blaen. Bachgen mawr, tal efo ysgwyddau cryfion, llydan. Roedd ei freichiau'n gyhyrau i gyd, a'i ddwylo fel dwy raw fawr. Roedd ganddo esgidiau trwm, cadarn. Y math o esgidiau na fyddech chi'n hoffi cael cic yn eich pen-ôl ganddyn nhw. Sylwodd Owen fod stŷd yn ei drwyn, a disgynnai'i wallt dros hanner ei wyneb.

Ac roedd craith ar ei foch chwith.

Ni allai Owen dynnu'i lygaid oddi ar y bachgen. Roedd yn amlwg o wyneb yr athro nad oedd hwnnw wedi gweld y bachgen erioed o'r blaen.

'Dwi fod yn y dosbarth yma. Wedi dod o ysgol arall.'

Doedd Mr Evans ddim yn siŵr beth i'w wneud. Ond cyn iddo gael cyfle i feddwl, roedd y bachgen wedi mynd i eistedd yn yr unig sedd wag yn y dosbarth. Wrth ymyl Owen.

Gofynnodd Mr Evans beth oedd enw'r bachgen.

'Corey,' atebodd Owen, yn ddistaw wrtho'i hun.

'Corey,' atebodd y bachgen yn uchel.

Allai Owen ddim credu'i glustiau! Dyma'r union fachgen oedd yn y llun. Dyma'r bachgen roedd wedi'i greu yn yr Ystafell Gelf ddoe. Dyma'r bachgen oedd yn mynd i ddod i sortio Hedd unwaith ac am byth.

'Mae o'n hiwj,' sibrydodd Ben.

'Mae o'n fwy na ti a fi efo'n gilydd,' atebodd Daniel.

'Faswn i ddim yn pigo ffeit efo hwnna,' ychwanegodd Ben.

Penderfynodd Owen y byddai'n beth da ceisio dod yn ffrindiau efo Corey. Wedi'r cyfan, efallai nad oedd Corey'n deall yn iawn pam ei fod wedi dod i'r ysgol. Efallai nad oedd Corey'n gwybod mai ei unig bwrpas mewn bywyd oedd sortio Hedd. Dysgu gwers iddo, fel na fyddai'n bwlio ddim mwy. Yr unig beth roedd angen i Owen ei wneud oedd egluro'r cyfan i Corey. Byddai'n hawdd! Aeth Owen trwy'r geiriau yn ei feddwl. Byddai'n dechrau fel hyn. 'Owen dwi.' Ia, dyna ddechrau da. Wedyn byddai'n mynd yn ei flaen i egluro. 'Fi sy wedi dy greu di ar wal fel llun er mwyn i ti ddod yn fyw ac i sortio'r bwli 'ma sy'n yr ysgol.' Reit, ffwrdd â ti, Owen bach, meddai wrtho'i hun.

'Owen dwi,' meddai wrth Corey.

'O,' atebodd Corey.

Sychodd gweddill geiriau Owen yn ei geg. Nid y dechrau gorau i'w cyfeillgarwch!

Croesodd feddwl Mr Evans y dylai fod yn mynd i'r swyddfa i holi ynglŷn â'r disgybl newydd. Pwy oedd o? O ba ysgol oedd o'n dod? Oedd o yn y set gywir? Ond byddai hynny'n golygu bod yn rhaid iddo adael y stafell, a doedd o ddim yn ymddiried digon yn y disgyblion i wneud hynny. Penderfynodd adael pethau tan ddiwedd y wers.

Ceisiodd Owen ffordd arall. Pwyntiodd at y bwrdd gwyn. 'Dyna ydan ni fod i'w wneud, y pos 'na.'

Edrychodd Corey ar y pos. Darllenodd Corey'r gwaith ar y bwrdd gwyn am eiliad.

'Mae hwnna'n hawdd,' meddai wrth Owen, ac yna eisteddodd yn ôl yn ei sedd gan blethu'i freichiau y tu ôl i'w ben.

'Oes rhywun wedi gorffen?' gofynnodd Mr Evans.

'Fi,' atebodd Corey. Edrychodd pawb ar y bachgen newydd. Dim ond dwy funud roedd o wedi bod yn y dosbarth, ac roedd wedi gorffen ei waith yn barod.

'Ma hwn yn y set rong,' sibrydodd Ben wrth Daniel.

'Wel, Corey, wyt ti am roi cynnig arni?' Ailadroddodd Mr Evans y cwestiwn, 'Mae cwmni tacsi'n codi £2.50 am y filltir gyntaf, ac yna £1.40 am weddill y milltiroedd. Pa mor bell allai Mr Gwyn fynd gyda £25 os yw'n mynd i roi cildwrn o £3 i'r gyrrwr?'

'Hawdd. Faswn i'n mynd i mewn i'r tacsi efo'r pres, a gofyn i'r dyn tacsi pa mor bell fasa fo'n fodlon mynd â fi. Faswn i ddim yn gorfod gweithio'r pocsi sym allan wedyn. Os na faswn i'n hapus efo ateb y boi tacsi, mi faswn i'n rhoi hedbyt iddo fo, wedyn mynd allan o'i dacsi fo!'

Eisteddodd Corey yn ei ôl, a'i freichiau wedi'u plethu y tu ôl i'w ben. Roedd o'n hapus efo'i ateb.

Doedd Mr Evans ddim cweit mor hapus. Roedd y dosbarth cyfan yn gegagored. Dechreuodd rhai chwerthin.

'TAWELWCH!' bloeddiodd Mr Evans. 'Corey, ty'd efo fi.'

Roedd Mr Evans wedi penderfynu y byddai'n mynd o'r stafell efo Corey. Doedd dim ots ganddo bellach faint o sŵn fyddai'r dosbarth yn ei wneud. Yr unig beth oedd yn bwysig oedd sortio Corey.

'Ty'd,' meddai Mr Evans.

Cododd Corey ac wrth i'r ddau gerdded allan o'r dosbarth, roedd hi'n hawdd gweld bod Corey bron ddwywaith maint Mr Evans.

Doedd hi ddim yn glir pwy fyddai'n sortio pwy!

'Mae 'mhres i ar Corey!' meddai Ben.

14

'Ti ddim yn mynd i goelio be ddigwyddodd yn Maths,' meddai Lisa wrth Hedd.

Roedd y ddau wedi cyfarfod yn yr un lle ag arfer wrth y ffreutur ar ôl y wers. Eglurodd Lisa'r cyfan – sut roedd y bachgen anferth yma wedi cyrraedd y wers, yn gyhyrau ac yn geg i gyd. 'Roedd o ddwywaith maint Mr Evans! Roedd o'n hiwj!' Dechreuodd Hedd deimlo'n anesmwyth. Doedd o ddim yn edrych mlaen at gyfarfod Corey. Roedd o wedi arfer â chael ei ffordd ei hun yn yr ysgol. Hedd oedd y bwli. Hedd oedd y bòs. Hedd oedd yn bwysig. A rŵan roedd hwn wedi dod. Er nad oedd Hedd wedi'i weld eto, gwyddai fod yn rhaid iddo gael Corey ar ei ochr o. Doedd rhywun ddwywaith maint Mr Evans ddim yn un i'w groesi.

Roedd Owen hefyd wedi bod yn meddwl. Sut oedd o'n mynd i gael Corey ar ei ochr o? Byddai cael cerdded o amgylch yr ysgol efo Corey wrth ei ochr yn gymaint o hwyl...

'Helô, dach chi wedi cyfarfod Corey? 'Yn ffrind newydd i? Mae ymhell dros chwe troedfedd, yn gyhyrau o'i ben i'w draed. Yn datŵs i gyd. Ac os dach chi'n pigo arna i, dach chi'n pigo ar Corey hefyd. Iawn, Corey?'

'Iawn, boi. Os dach chi'n pigo ar Owen, dach chi'n pigo arna i hefyd...'

Ond wedyn, byddai cael cerdded o amgylch yr ysgol efo *unrhyw un* yn hwyl i Owen. Tybed ble roedd Corey? Roedd hi'n amser egwyl, ac Owen ar ei daith unig arferol o amgylch yr ysgol.

Yn sydyn, clywodd Owen rywun yn galw'i enw. Trodd ei ben, a gweld Dafydd Einstein yn sefyll yno.

'Sgen ti bum munud?' gofynnodd Dafydd. 'Ti'n fodlon dod i'r Ystafell Ffiseg?'

Yn yr Ystafell Ffiseg roedd Dafydd yn byw. Neu yn hytrach, yn y storfa y tu ôl i'r labordy. Roedd hon yn cael ei chyfri fel swyddfa bersonol Dafydd. Dyma lle roedd o'n gweithio ac yn treulio'i holl amser sbâr. Roedd o wrth ei fodd yno, a'r lle'n llawn llyfrau na fyddai Owen fyth yn eu deall. Pan oedd Dafydd yn cerdded i mewn i'r stafell, roedd fel petai'n cerdded i'w fyd bach ei hun. Dim ond unwaith roedd Owen wedi bod yn y storfa o'r blaen – wedi cael ei anfon yno gan Mrs Ellis am fod yn hogyn drwg ac anghofio gwneud ei waith cartref Gwyddoniaeth. Rhyfeddai Owen at y lle. Roedd yn llawn peiriannau a sgriniau, botymau a gwifrau. Gallai Owen dynnu eu llun nhw'n hawdd, ond fyddai byth yn dod i ddeall sut roedden nhw'n gweithio.

Eisteddodd Dafydd yn ddigon cyfforddus yn eu canol nhw, ac Owen fel nofiwr yn boddi mewn môr o wyddoniaeth a thechnoleg.

'Ti'n gwbod y ddau lun dynnest ti ar y wal 'na?' gofynnodd Dafydd.

'Ia,' atebodd Owen, heb fod yn siŵr i ba gyfeiriad roedd y sgwrs yn mynd, ond yn hapus i fod 'nôl ym myd y lluniau. Edrychodd Owen yn rhyfedd arno.

'Ydw, llun o athro a llun o fwli,' atebodd yn syn.

'Ond ti wnaeth eu creu nhw, ti'n dallt?' gofynnodd Dafydd.

'Ia. Efo caniau paent.'

'Ond be oedd yn digwydd ar ôl i ti eu creu nhw efo paent a brwshys?'

'O'n nhw'n diflannu.'

'Yn hollol.'

Roedd Owen ar goll.

'Ti ddim yn gweld?'

'Nadw,' atebodd Owen yn syth.

Tynnodd Dafydd ei stôl yn nes at y bwrdd.

'Be oedd yn digwydd ar ôl iddyn nhw ddiflannu?'

'O'n nhw'n landio yn yr ysgol!'

'Yn hollol!' meddai Dafydd eto. 'Dy ddychymyg di sy'n eu gwneud nhw'n bobl go iawn.'

Os oedd Owen ar goll gynt, roedd o mewn tywyllwch llwyr erbyn hyn.

'Eu dychmygu nhw i fod yn bobl go iawn,' ailadroddodd Dafydd. 'Ma be bynnag rwyt ti'n ei greu ar y wal yn dod yn fyw – ti'n eu dychmygu nhw i fodolaeth.'

Petai rhywun arall wedi dweud hynny, byddai Owen yn meddwl eu bod nhw'n hollol wirion, ond gan mai Dafydd Einstein oedd yn siarad, roedd rhywbeth y tu mewn iddo yn gwneud i Owen wrando.

'Ddudodd Einstein fod rhywbeth yn gallu bod mewn dau le ar yr un pryd. Rŵan, na'th o ddim llwyddo i brofi hynny, ond mae'r peth wedi cael ei brofi'n wir ers hynny.'

'Na!' meddai Owen, yn methu credu y gallai'r fath beth ddigwydd. Roedd hyd yn oed Owen yn gwybod bod hynny'n amhosib. Aeth Dafydd yn ei flaen.

'Ti'n gwybod be ydy ffoton?'

'Dim syniad,' atebodd Owen.

'Ffoton ydy un darn bach, bach o olau. Rŵan, maen nhw wedi profi bod ffoton yn gallu bod mewn dau le ar yr un pryd.'

Roedd Owen wedi penderfynu nad oedd yn deall, ond gadawodd i Dafydd fynd yn ei flaen.

'Dydy ffotonau ddim 'run fath â phethau arferol. Cyma di'r beiro 'ma. Dwi'n rhoi hwn i lawr yn fa'ma ar y ddesg, ac mae o'n aros yna.' Roedd Owen wedi llwyddo i'w ddilyn hyd yn hyn. Aeth Dafydd yn ei flaen. 'Ond mae ffoton yn wahanol. Dydy ffoton ddim yn gorfod aros yn yr un lle. Rŵan, mae'n amlwg nad ydy dy luniau di'n aros yn yr un lle chwaith. Maen nhw'n symud, ac yn dod yn fyw!' Doedd Owen ddim yn deall y ffiseg, ond roedd o'n deall lluniau.

'Ond ella mai dim ond digwydd edrych yn debyg maen nhw, y lluniau a'r bobol,' meddai Owen.

'Dim cyd-ddigwyddiad ydy o. Roedd y lluniau'n rhy debyg i fod yn gyd-ddigwyddiad,' meddai Dafydd.

'Y tatŵs!' Cofiodd Owen nad oedd o wedi gweld y tatŵs. 'Roedd gan y bwli yn y llun datŵs, un ar bob braich.'

'Wel, gofyn iddo fo am eu gweld nhw. Os oes ganddo fo datŵs, mi fyddi di'n gwybod yn sicr wedyn. Mi fasa hynny y tu hwnt i unrhyw gyd-ddigwyddiad.'

Canodd y gloch, ac roedd meddwl Owen yn taranu. Roedd o newydd gael gwers Ffiseg gan ddisgybl, a hynny yn ystod amser egwyl. Doedd o ddim wedi deall popeth, ac eto roedd wedi dysgu mwy mewn pum munud nag yn yr holl wersi Gwyddoniaeth eraill i gyd.

Y tatŵs! Roedd yn rhaid iddo weld y tatŵs!

15

Cyrhaeddodd amser cinio, ac Owen heb weld Corey o gwbl. Ond hyd yn oed wedi'i weld, beth oedd o'n mynd i ofyn iddo – 'Esgusoda fi, ga i weld dy datŵs di, plis?!'

Cyrhaeddodd Owen y Clwb Celf. Roedd Kez a Braz yno'n barod.

'Ti wedi gweld y boi newydd?' gofynnodd Kez.

'Do, mae o'n lysh,' atebodd Braz.

'Mae o'n fwy na lysh, mae o'n *well fit.*'

'Be di'i enw fo? Ma'n rhaid i fi wbod ei enw fo.'

'Sut dwi fod i wbod?'

Ar hynny, cerddodd Owen heibio iddyn nhw, ac aeth i'w sedd arferol. Wrth estyn am ei bapur, doedd ganddo mo'r syniad lleiaf llun o beth roedd am dynnu. Clywodd rywbryd am arlunydd yn dweud ei fod yn gadael i'w bensil wneud y gwaith meddwl drosto. Roedd hwnnw'n gafael yn ei bensil, ei osod ar y papur, ac aros nes bod y bensil yn symud. Penderfynodd Owen wneud yr un peth.

Roedd dwy funud wedi mynd, ac Owen yn dal ei bensil ar ei bapur.

'Sbia ar hwnna,' meddai Braz, gan bwyntio at Owen. ''Di o ddim wedi symud ers iddo fo ddod i mewn.'

'Ti'n iawn! 'Di o'n fyw, ti'n meddwl?!'

'Hei, be os fasa fo'n marw yn y fan a'r lle? Ecseiting 'de!'

Dechreuodd y ddwy giglo.

Roedd Owen yn ei fyd bach ei hun. Ym myd bach ei bapur a'i bensil. Dechreuodd y bensil symud. Edrychodd

Owen ar y papur. Roedd fel gwylio llaw rhywun arall yn symud ac yn gwneud y gwaith. Fesul symudiad, daeth y llun yn amlwg. Roedd Owen yn adnabod y llun. Llun angor, efo'r gair 'ancora' yn mynd i lawr y canol. Yna, symudodd ei law, a dechrau ar lun y groes.

'*OMG!*' meddai Kez yn uchel, cyn sylwi ei bod wedi tynnu sylw ati hi'i hun. Yna sibrydodd wrth Braz, 'Sbia pwy sy wedi dod mewn rŵan!'

Edrychodd Braz draw at y drws, a gwelodd ffigwr mawr tywyll yn llenwi'r drws.

Corey!

Yr unig un nad oedd wedi sylwi bod Corey wedi dod i mewn oedd Owen. Roedd hwnnw'n dal i edrych ar ei law'n tynnu llun. Cerddodd Corey heibio i Miss Smith. Edrychodd hithau i fyny arno. Edrychodd o i lawr arni hi.

'Dwi 'di dod i dynnu llun,' meddai Corey, ac i ffwrdd ag o i gefn y stafell, at fwrdd gwag. Wrth estyn am ei bapur, doedd ganddo mo'r syniad lleiaf llun o beth roedd am dynnu. Clywodd rywbryd am arlunydd yn dweud ei fod yn gadael i'w bensil wneud y gwaith meddwl drosto. Roedd hwnnw'n gafael yn ei bensil, ei gosod ar y papur, ac aros nes bod y bensil yn symud. Penderfynodd Corey wneud yr un peth.

Yn sydyn, roedd sŵn mawr ar y coridor y tu allan i'r drws. Cododd Miss Smith ei phen oddi wrth waith un o'i hangylion bach wrth glywed gwthio a chwerthin y tu allan. Y peth nesaf, agorodd y drws, a Hedd, Lisa, Ben a Daniel am y gorau'n ceisio stwffio i'r stafell o flaen ei gilydd.

'Bihafiwch, wnewch chi?!' bloeddiodd Miss Smith.

Roedd y criw wedi clywed bod Corey wedi cael ei weld yn anelu tuag at yr Ystafell Gelf, ac felly penderfynon nhw wneud yr un peth. Unrhyw beth er mwyn cael bod yn ffrindiau efo seren newydd yr ysgol. Roedd cadair wag wrth ymyl Corey, ac anelodd Hedd yn syth at honno. Erbyn iddo eistedd, roedd Corey wedi ymgolli'n llwyr yn ei lun. Llun angor efo'r gair 'ancora' yn mynd i lawr ei ganol, a llun arall. Llun croes.

'Fi mae o'n ffansïo,' meddai Kez.

'Pwy?'

'Wel, fo 'de – Corey!' Roedd gwên lydan, bell ar wyneb Kez. Yn ei dychymyg, roedd hi a Corey yn cerdded i lawr stryd y dre, yn dal dwylo'i gilydd, a Corey'n sibrwd pethau neis yn ei chlust wrth i bawb droi eu pennau i edrych arnyn nhw.

'Ti'n siarad fflipin nonsens!' meddai Braz.

'Pam ti'n meddwl fod o wedi dod yma? O'dd o'n gwbod 'mod i yn y Clwb Celf. O'dd o wedi 'ngweld i'n dod yma,' atebodd Kez.

'Mae o wedi dod yma i dynnu llun. Dim i edrych arnat ti,' brathodd Braz yn swta. 'A be bynnag, mae o dair gwaith dy seis di!'

Eisteddodd Owen yn ôl yn ei gadair. Edrychodd ar y ddau lun. Oedd, roedd o'n hapus efo nhw.

Eisteddodd Corey yn ôl yn ei gadair. Edrychodd ar y ddau lun. Oedd, roedd o'n hapus efo nhw.

Erbyn i Corey orffen y lluniau, roedd criw wedi casglu o amgylch ei fwrdd.

'Waw, ma hwnna'n ffantastig!' meddai Daniel.

'Faswn i'n licio gallu tynnu lluniau fel 'na,' ychwanegodd Ben.

Doedd Hedd ddim yn rhy hapus fod Corey'n cael y sylw i gyd, ond o leiaf roedd o'n falch nad oedd Lisa wedi canmol y lluniau. Ond roedd Lisa hefyd, yn ddistaw bach, yn meddwl eu bod nhw'n wych, ond doedd hi ddim am ddweud hynny am ei bod yn gwybod y byddai Hedd yn gas wrthi.

Digwyddodd Ben edrych draw at fwrdd Owen. Edrychodd eto ar bapur Corey. Ac edrych 'nôl ar bapur Owen. Oedd o wedi gweld yn iawn? Cerddodd draw, a chipio papur Owen oddi ar y ddesg. Ceisiodd Owen ei gipio'n ôl, ond roedd hi'n rhy hwyr. Roedd y papur wedi mynd.

Rhoddodd Ben y papur ochr yn ochr â phapur Corey. Trodd Owen yn ei ôl i edrych. Rhyfeddai at yr hyn yr oedd yn ei weld. Roedd y lluniau'n union yr un peth. Llifodd geiriau Dafydd i'w feddwl.

'Dim cyd-ddigwyddiad ydy o. Roedd y lluniau yn rhy debyg i fod yn gyd-ddigwyddiad.' Ond sôn am y lluniau ar y wal roedd Dafydd. Roedd hyn yn fwy o gyd-ddigwyddiad fyth – bod lluniau'r groes a'r angor yn hollol debyg gan y ddau.

Yr eiliad honno, roedd Owen yn gwybod. Owen oedd wedi creu llun yr angor a'r groes. Owen oedd wedi creu llun Corey ar y wal. Y graith a'r gwallt, y cyhyrau a'r llygaid. A'r tatŵs. Owen oedd wedi creu llun Mr Wiliam hefyd. Y gwallt cyrliog, gwyn a'r dillad lliwgar.

Cerddodd Ben i flaen y dosbarth a dweud wrth Miss Smith, 'Mae Owen wedi bod yn copïo, Miss.'

Gwyddai Owen nad oedd unrhyw bwrpas iddo ddechrau dadlau.

'Copïo pwy?' gofynnodd yr athrawes.

'Corey,' atebodd criw'r rhes. Doedd gan Miss Smith ddim diddordeb unwaith iddi gael gwybod mai problem y rhes gefn oedd hon.

'Os na allwch chi fihafio, allan fyddwch chi'n mynd, bob un ohonoch chi!'

Gwelodd Daniel hefyd ei gyfle i blesio Corey. Gafaelodd ym mhapur Corey a phapur Owen. Aeth â'r ddau ddarn at Owen, a'u dangos nhw iddo.

'Sbia, Bancsi Bach, maen nhw'n union yr un fath,' meddai Daniel.

Edrychodd Owen ar y ddau bapur. Doedd geiriau a chwerthin y criw ddim yn cyfri bellach. Yr unig beth a welai Owen oedd y ddau bapur. Roedden nhw union yr un fath, o siâp y groes i'r gadwyn oedd yn hongian oddi ar yr angor. Roedd y ddau air yn union yn yr un lle hefyd. Teimlai Owen ias ryfedd o falchder yn llifo trwy'i gorff. Roedd o wedi creu rhywbeth. Wedi creu rhywbeth nad oedd o ddim yn chwarter ei ddeall. Ond roedd o'n deall fod ganddo ryw bŵer nad oedd dim egluro arno. A dim ond Dafydd Einstein, o holl bobl y byd, oedd yn gwybod amdano.

Torrodd llais Hedd ar ei draws wrth sibrwd yn ei glust. 'Be sy gen ti ddweud am hyn, Bancsi Bach?'

Doedd gan Bancsi Bach ddim byd i'w ddweud.

Arhosodd Hedd i weld beth fyddai Corey'n ei ddweud. Gobeithiai y byddai'n gweiddi ar Owen, ac yn ei ddyrnu yn y fan a'r lle. Ond cafodd ei siomi.

Cododd Corey o'i sedd, gafael yn ei fag a cherdded yn dawel o'r stafell heb ddweud dim wrth neb.

16

Canodd cloch yr ysgol. Yr un oedd sŵn cloch diwedd y dydd â'i sŵn hi ar ddechrau'r dydd. Ond roedd teimlad y ddwy mor wahanol i Owen. Roedd yr olaf yn ddechrau ar oriau o dawelwch ac o lonydd ac o heddwch, a'r gyntaf yn ddechrau ar oriau o boeni ac o fwlio... ac o Hedd.

Cerddodd Owen, yn ôl ei arfer, tuag at y bws. Roedd ei feddwl yn rhy lawn o ddigwyddiadau'r dydd i boeni am y daith adre, a'r bwlio a'r dyrnu arferol. A oedd Dafydd Einstein yn dweud y gwir? A oedd yna unrhyw ffordd y gallai Owen fod yn dychmygu pethau fel eu bod yn dod yn fyw?

Eisteddodd yn ei sedd. Roedd Hedd wedi cyrraedd Lisa yn y sedd gefn, ond pan welodd Owen yn dod i eistedd, daeth ato fel bwled.

'Dwi ddim yn gwbod be ydy dy gêm di, was, ond mae Corey a fi'n dipyn o ffrindia rŵan.' Aeth trwy feddwl Owen i'w holi a oedd Corey'n teimlo felly hefyd, ond penderfynodd y byddai'n ddoethach dweud dim byd. Erbyn hynny, roedd wyneb Hedd o fewn modfedd i drwyn Owen. 'Ac os wyt ti'n gorfod dwyn syniadau rhywun arall i wneud dy hen luniau pocsi, o leia bydd yn ddigon o ddyn i gyfadda hynny.' Daeth ei wyneb hyd yn oed yn nes. Pe bai'n dod yn nes eto, byddai eu trwynau'n cyffwrdd.

Yn sydyn, teimlodd Owen fod rhywun yn agosáu. Dafydd Einstein.

'Hedd, elli di symud, plis? Dwi isho eistedd fan'na,' meddai Dafydd, gan bwyntio at y sedd nesaf at Owen.

Pe bai'n unrhyw un arall, fyddai Hedd ddim yn gwrando. Ond roedd Dafydd ym Mlwyddyn 13. Roedd Dafydd mor wahanol i bawb arall nes ei fod yn cŵl. Dafydd oedd Dafydd. Symudodd Hedd ei wyneb yn araf, a dechrau codi, ond dim cyn ychwanegu,

'Wela i di eto, was.'

Cyn i Hedd gyrraedd y sedd gefn, roedd Dafydd wedi eistedd wrth ymyl Owen.

'Diolch,' sibrydodd Owen.

'Croeso,' atebodd Dafydd. Ymhen ychydig gofynnodd i Owen, 'Wyt ti'n meddwl bydd llun Corey ar y wal heno?'

'Dwn i'm,' atebodd Owen. Doedd o ddim wedi meddwl am hynny. Os na fyddai'r llun yno, byddai hynny'n golygu bod Corey'n dal i fod o gwmpas. Os byddai'r llun ar y wal, yna byddai Corey wedi diflannu.

'O'dd 'na rywbeth amdano fo ro'n i'n ei hoffi,' meddai Owen yn feddylgar.

'Wel, wrth gwrs. Ti na'th o!' atebodd Dafydd, a gwên ar ei wyneb.

'Ond mae arna i ofn y bydd o'n troi yn fy erbyn i. Dyna mae pawb yn ei wneud yn y pen draw.'

Daeth y bws at y tro yn y ffordd. Byddai'r wal yn ymddangos mewn eiliad. Oedd y llun yno?

Oedd. Corey yn fawr, yn ei holl ogoniant.

Sylwodd un o rapsgaliwns y seddi cefn.

'Corey!' gwaeddodd un ohonyn nhw. 'Mae Bancsi wedi bod yn brysur eto heddiw!'

Yno, yn eu hwynebu ar y wal fawr, roedd llond talcen adeilad o gartŵn. Trodd pawb ar y bws i edrych ar y llun. Mewn eiliad, roedd y ffonau symudol i gyd allan, yn tynnu lluniau fel pe na bai fory'n bod.

'Ti wedi'i gwneud hi rŵan, Bancsi Bach! Dwi ddim yn meddwl y bydd Corey'n hapus iawn pan fyddwn ni'n dangos y lluniau 'ma iddo fo fory. Ti'n mynd i fod yn *dead*,' meddai Hedd yn fygythiol. Ar ôl yr ergyd arferol, aeth Hedd 'nôl i eistedd at Lisa yng nghefn y bws.

Daliodd Owen i edrych yn ei flaen. Go brin y bydd Corey yn yr ysgol fory, meddyliodd.

Aeth eiliadau heibio, a'r ddau'n dweud dim byd wrth ei gilydd. Roedd sŵn chwerthin, siarad a gweiddi gweddill y bws yn toddi i'w gilydd yn un dwndwr aneglur. Ond roedd pethau'n ddigon clir ym meddwl Owen.

'Dim ond un diwrnod dwi isho,' meddai wrth Dafydd.

Gallai Dafydd ddarllen ei feddwl.

'Un diwrnod heb Hedd?'

'Ia,' atebodd Owen. 'Mae o yno bob dydd. Dydy o byth yn sâl. Mae pethau'n gymaint gwell yn y gwersi lle nad ydy o yno. Mae'r gweddill yn siarad efo fi, yn iawn efo fi. Mi fasa jyst un diwrnod yn gwneud cymaint o les i fi. Jyst i fi gael gweld be ydy bod yn normal.'

Yn sydyn, tawelodd Owen. Dechreuodd deimlo deigryn yn cronni yn ei lygad. Yn sydyn, ar yr eiliad honno, roedd pethau wedi mynd yn ormod iddo. Roedd wedi cael llond bol. Teimlodd y deigryn yn troi'n ddagrau. Canolbwyntiodd ar eu sychu â'i feddwl. Doedd o ddim yn mynd i grio. Doedd o ddim yn mynd i adael i unrhyw un weld ei deimladau. Ddim hyd yn oed Dafydd.

Ond roedd hi'n rhy hwyr. Er nad oedd Dafydd wedi'u gweld, roedd wedi synhwyro bod y dagrau'n agos.

'Mae 'na ateb, ti'n gwbod.'

Edrychodd Owen arno.

Aeth Dafydd yn ei flaen. 'Os wyt ti wedi llwyddo i neud

i rywun ymddangos trwy dynnu'i lun ar y wal, does dim rheswm pam na elli di neud i rywun ddiflannu hefyd drwy dynnu'i lun.' Dechreuodd Owen feddwl. Roedd o ar fin dweud wrth Dafydd mai dyna'r syniad gwirionaf iddo'i glywed erioed, ond roedd digwyddiadau'r dyddiau diwethaf wedi profi i Owen fod unrhyw beth yn bosib. Cafodd Owen ei hun yn meddwl nad oedd yn syniad rhy ddrwg wedi'r cyfan. Os oedd y person ar y wal, yna doedd o ddim yn yr ysgol! Roedd o wedi gweld hynny â'i lygaid ei hun. Dim ond pan oedd y person yn diflannu o'r wal, dyna pryd roedd yn ymddangos! Roedd hynny wedi digwydd i Mr Wiliam. Roedd hynny wedi digwydd efo Corey hefyd.

'Diolch, Dafydd.'

'Croeso.'

Wrth i Owen gerdded tuag at ei dŷ, clywodd lais cyfarwydd yn dweud ei enw. Llŷr oedd yno. Gwnaeth Llŷr yn siŵr nad oedd neb yn eu gwylio. Edrychodd y ddau ar ei gilydd am eiliad. Roedd Llŷr yn amlwg eisiau dweud rhywbeth wrtho, ond ni fedrai yngan gair. Yn y diwedd, daeth yr un gair hwnnw,

'Sori...'

'Sori? Am be?'

'Am bob dim,' atebodd Llŷr, a cherddodd i ffwrdd heb ddweud gair arall.

17

Doedd Owen ddim yn gallu gwneud dim byd arall y noson honno. Yn gyntaf, gwnaeth yn siŵr fod digon o baent ganddo. Yna, eisteddodd wrth ei ddesg yn ei stafell wely, a'r papur o'i flaen. Y papur gwyn, gwag. Roedd eisiau gwneud braslun yn gyntaf. Dechreuodd â'r llygaid. Oedd o'n mynd i wneud llygaid casach nag arfer? Na, roedd hwn yn mynd i fod yn llun mor real â phosib. Roedd o eisiau gwneud yn siŵr na fyddai neb yn camgymryd hwn am unrhyw un arall. Canolbwyntiodd ar gael pob manylyn yn gywir.

Fesul munud, roedd Hedd yn dechrau ymddangos o'i flaen ar y papur. A ddylai ei roi yn ei wisg ysgol? Penderfynodd mai dyna fyddai hawsaf. Doedd Owen ddim yn gweld Hedd ryw lawer y tu allan i'r ysgol. Fyddai Owen byth yn cael gwahoddiad gan y criw pan fydden nhw'n mynd i'r dref ar ddydd Sadwrn neu allan fin nos. Dillad ysgol amdani.

Ymhen pum munud, roedd y braslun yn barod. Edrychodd Owen ar y papur. Oedd, roedd yn hapus. Yn berffaith hapus.

Y dasg nesaf oedd trosglwyddo'r llun i'r papur mawr ar y llawr. Yna mynd trwy'r un drefn ag arfer. Doedd ei fam, druan, yn gwybod dim. Doedd ganddi hi mo'r syniad lleiaf fod ei mab wedi bod yn sleifio allan fin nos, efo caniau o baent yn ei fag.

Arhosodd tan hanner nos. Doedd dim pwrpas ceisio cysgu. Gwyddai ei fod wedi cynhyrfu gormod. Gwnaeth yn siŵr fod popeth yn ei fag, ac aeth allan yn ddistaw drwy'r drws cefn gan ei dynnu'n ofalus ar ei ôl.

Roedd wedi gwisgo'i ddillad du, a cherddodd yn hyderus tua'r wal. Gwyddai mai'r gwaith cyntaf fyddai cael gwared ar lun Corey. Diolchodd unwaith eto fod gan y gweithwyr ddigon o waith adeiladu i bara am amser hir, a gwyddai'n iawn ble i fynd i nôl y blociau concrit a'r pren er mwyn gwneud y llwyfan bach o flaen y wal.

Gadael y llygaid tan y peth olaf. Dechrau gyda'r llygaid wrth greu llun, a gorffen â'r llygaid wrth ei ddileu. Er mai ond am ddiwrnod roedd wedi nabod Corey, teimlai fel petai'n ffarwelio â hen ffrind. Roedd Corey'n fachgen mawr, felly cymerodd dipyn o amser i orchuddio'i gorff efo'r paent. Wedyn, dechreuodd ar y pen, y gwallt, y talcen a'r graith hyd nes mai dim ond y llygaid oedd ar ôl. Yna, un chwistrelliad bach, ac roedden nhw wedi cau. Am byth.

Gwyddai o brofiad fod angen dwyawr i'r paent sychu. Er iddo gyrraedd ei wely, ni chysgodd winc. Roedd ar dân eisiau cyrraedd y wal eto a dechrau ar lun Hedd.

A oedd hyn yn mynd i weithio? A oedd yn mynd i gael llonydd o'r diwedd?

Dim ond am awr y bu wrthi, ac ar ôl iddo orffen, safodd cyn belled ag y gallai oddi wrth y wal i edrych ar y llun. Corey wedi diflannu, a Hedd wedi ymddangos! Dechreuodd chwerthin. Chwerthin yn braf. Pe bai Hedd yn gallu gweld y llun, teimlai Owen y byddai wrth ei fodd!

Cyn pen dim roedd yn ôl yn ei dŷ, ac yn ei stafell, ac yn ei wely, ac yn cysgu.

★

Anaml iawn y byddai Owen yn edrych ymlaen at fynd i'r ysgol. Ond roedd y bore hwn yn wahanol. Cychwynnodd bum munud yn gynharach nag arfer er mwyn gwneud yn siŵr na fyddai'n colli'r bws. Owen oedd y cyntaf i gyrraedd yr arhosfan y tro hwn. Roedd hi'n glawio'n drwm, ac aeth i eistedd o dan do'r arhosfan. Disgybl a safai y tu allan i'r arhosfan oedd Owen fel arfer, ond roedd yn falch y tro hwn ei fod wedi cyrraedd yn gynnar i gael lle sych. Hyrddiai'r glaw yn erbyn y gwydr. Tybed a fyddai'r llun yn dal yno? Os byddai, a fyddai hynny'n golygu bod Hedd wedi diflannu? Neu a fyddai hynny'n golygu bod damcaniaeth Dafydd am yr ymddangos a'r diflannu yn nonsens llwyr? Efallai fod yr holl law wedi golchi'r cyfan i ffwrdd. Ble fyddai'n sefyll wedyn?

Pan oedd Owen yng nghanol ei feddyliau, pwy welodd yn cerdded trwy'r glaw ond Dafydd. Prysurodd hwnnw hefyd dan do'r arhosfan i gysgodi rhag y glaw. Erbyn hynny roedd y gweddill wedi dechrau cyrraedd hefyd. Edrychodd Dafydd ar Owen. Edrychodd Owen yn ei ôl. Deallodd Dafydd, heb fod angen geiriau, fod gwaith y nos wedi'i wneud.

'Pa lun sy'n mynd i fod ar y wal heddiw, Bancsi Bach?' gofynnodd Lisa wrth iddyn nhw fynd i'r bws.

Fedrai Owen ddim ateb.

Aeth Llŷr ar y bws heb ddweud gair wrth neb.

Roedd Kez a Braz yn eu hwyliau arferol, yn giglan am rywbeth neu'i gilydd.

Wrth i'r bws gyrraedd yr arhosfan nesaf, rhewodd gwaed Owen wrth weld nad oedd Hedd yn sefyll yn ei le arferol. Clywodd rywun yn gofyn i Lisa ble roedd Hedd. Gwyddai Owen yn iawn ble roedd Hedd. Ar y wal!

'Dwi'm yn gwbod,' oedd ateb Lisa. 'Dwi'm wedi clywed dim byd ganddo fo bore 'ma.'

Aeth Lisa'n syth i'w bag ac estyn am ei ffôn. Gwasgodd

y botymau. Gallai glywed ffôn Hedd yn canu, a chanu, a chanu. Ond doedd neb yn ateb.

Daliai Dafydd i eistedd heb ddweud gair. Roedd Owen ar dân eisiau gofyn iddo a oedd o'n meddwl bod y llun wedi gweithio, neu ai cyd-ddigwyddiad oedd fod Hedd heb ymddangos. Ond doedd o ddim eisiau i neb glywed y sgwrs, felly taw oedd piau hi.

Efallai mai sâl oedd Hedd. Efallai fod yna reswm digon diniwed. Ond wedyn, beth os mai'r llun ganol nos oedd wir wedi achosi hyn i gyd? A oedd Owen yn ddigon dewr i droi i weld a oedd y llun yno? Os byddai'n troi, a fyddai'n tynnu sylw ato'i hun? A fyddai pobl eraill yn troi i edrych wedyn? Un stryd arall a byddai'r wal o'u blaenau.

Clywodd Owen Braz yn gweiddi ar Kez, 'Ti'n meddwl bydd llun Corey'n dal ar y wal heddiw?' Yn sydyn, roedd pawb wedi troi i edrych, yn barod am yr olygfa ar y wal.

'Hedd!' sgrechiodd Lisa. Roedd hi wedi gweld y llun. Roedd y llun yn dal yno! Cartŵn mawr o Hedd, ei harwr hi!

Doedd gan Owen ddim syniad beth fyddai ymateb pawb. Ond doedd dim angen iddo boeni.

'*OMG!*' sgrechiodd Braz. 'Mae o'n *brilliant!*'

Yna, digwyddodd rhywbeth cwbl annisgwyl. Dechreuodd rhywun guro dwylo. Aeth yr un yn ddau a'r ddau yn dri. Ymhen ychydig roedd pawb ar y bws yn curo'u dwylo. Pe na bai'r gyrrwr yn gyrru, mae'n siŵr y byddai hwnnw'n curo'i ddwylo hefyd!

Teimlai Owen ei wddf a chefn ei ben a'i wyneb cyfan yn cochi.

'Owen, ti wedi bod yn brysur neithiwr,' meddai Kez, a dechreuodd y ddwy ar eu giglo eto.

Yr unig un nad oedd wedi troi i edrych ar y llun oedd Dafydd. Doedd dim angen iddo. Roedd yn gwybod y byddai yno.

'Dwi ddim yn meddwl y cei di dy boeni gan Hedd heddiw,' meddai Dafydd yn ddistaw.

18

Doedd Lisa ddim yn gallu cofio pryd oedd y tro diwethaf i Hedd golli diwrnod o ysgol. Roedd hi wedi anfon saith neges ato, ond heb gael unrhyw ateb yn ôl.

'Pwy ddiawl mae o'n feddwl ydy o?' meddai Lisa wrth Daniel. ''Di o 'rioed wedi anwybyddu fi fel hyn o'r blaen.'

'Ella'i fod o'n sâl, methu codi o'r gwely,' atebodd Daniel, gan geisio cadw'r ddysgl yn wastad.

'Os nad ydy'n o'n sâl rŵan, mi fydd o'n sâl pan ga i afael arno fo,' oedd sylw pigog Lisa.

Roedd amser egwyl wedi cyrraedd, a doedd dim arwydd o Hedd. Daliai'r curo dwylo i atseinio ym mhen Owen. Doedd o erioed wedi profi'r fath gymeradwyaeth o'r blaen. Cerddodd allan o'r wers Gerddoriaeth, a phwy gerddodd allan wrth ei ochr oedd Lisa.

'Dwi'n meddwl bod y llun yn hollol *amazing*!' meddai, gan edrych yn syth i mewn i lygaid Owen.

'Diolch,' meddai Owen.

Doedd hanner ohono ddim eisiau cyfaddef mai fo oedd yr arlunydd, ond doedd dim pwynt dweud celwydd. Roedd pawb yn gwybod mai fo oedd wrthi. Cyn i Owen sylweddoli, roedd Ben, Daniel, Llŷr a dau neu dri arall wedi ymuno yn y drafodaeth. Ble bynnag roedd Lisa'n mynd roedden nhw eisiau bod yno hefyd. A heddiw, roedd Lisa'n dilyn Owen.

'Ers pryd ti'n gallu tynnu lluniau mor ffab?' gofynnodd Lisa.

Dechreuodd Owen egluro'i fod o wastad wedi bod wrth ei fodd yn arlunio.

'Faswn i'n licio gallu tynnu llun,' meddai Daniel.

'Ti'n blincin anobeithiol,' meddai Ben. 'Ti'n gwbod be, Owen? Ma hyd yn oed ei *stickmen* o'n ddi-siâp!'

Chwarddodd pawb am ben Daniel, a Daniel yn rhoi ergyd fach galed ar gefn Ben.

Hedfanodd amser egwyl. Doedd Owen erioed wedi teimlo fel hyn yn yr ysgol o'r blaen. Yn lle bod ar ei ben ei hun mewn gwersi, roedd o yn y canol. Roedd pobl yn dechrau sgwrs ag o. Roedd pobl yn chwerthin ar y pethau roedd yn eu dweud. Roedd o'n teimlo fel un o'r criw, fel petai wedi cael ei dderbyn gan bawb.

Aeth Owen ddim i'r Clwb Celf amser cinio. Doedd dim angen iddo fynd. Roedd Lisa wedi gofyn iddo fynd efo nhw i'r ffreutur. Ar y ffordd yno, digwyddodd fynd heibio i Dafydd Einstein. Ddywedodd y ddau ddim byd wrth ei gilydd. Doedd dim angen. Roedd yr hanner gwên ar wyneb Dafydd yn dweud y cyfan. Ynghanol holl sŵn a chwerthin y ffreutur, hanner gobeithiai Owen y byddai llun Hedd yn dal i fyny ar y wal wrth i'r bws fynd ar ei daith o'r ysgol. Byddai Hedd yno, ei enaid a'i ysbryd yn sownd ar y wal garreg, lwyd. Yn ysu am gael dod i lawr. Ond yno i aros. Fel y paent yn y can chwistrellu. *Permanent.*

Chafodd Dafydd ddim cyfle i gael gair ag Owen yn ystod y dydd. Roedd wastad rhywun o'i amgylch – Lisa, Llŷr, Ben, Daniel. Roedd Owen yn torri'i fol eisiau gair efo Dafydd. Oedd o'n meddwl y byddai'r llun yn dal yno ar y ffordd adre? Oedd o'n meddwl bod rhywbeth wedi digwydd i Hedd?

Yng nghanol y wers Wyddoniaeth ar ôl cinio, daeth cnoc ar y drws. Dafydd Einstein oedd yno. 'Alla i gael gair efo Owen?' gofynnodd yn gwrtais i'r athro.

Gan mai Dafydd oedd wedi gofyn, cytunodd yr athro, ac allan aeth Owen, heb fod yn siŵr iawn beth oedd ei neges.

Teimlai Owen ar ben ei ddigon. Roedd pawb fel petaen nhw eisiau'i weld heddiw. Ar ôl i'r ddau fynd allan i dawelwch y dramwyfa, edrychodd Dafydd i fyw llygaid Owen.

'Ti wedi meddwl be fyddi di'n ei weld ar y wal ar y ffordd adre heddiw?' gofynnodd.

Nid atebodd Owen.

'Ti wedi meddwl be fyddi di isho'i weld?'

Roedd y cwestiwn hwnnw'n annisgwyl.

'Meddylia am y peth,' oedd cyngor Dafydd. Erbyn i Owen feddwl am ateb, roedd Dafydd wedi cerdded hanner ffordd i lawr y dramwyfa. Arhosodd Owen y tu allan i'r Ystafell Wyddoniaeth ar ei ben ei hun. Byddai wrth ei fodd yn gweld y llun yn dal ar y wal, ond doedd o chwaith ddim eisiau'r cyfrifoldeb am ddiflaniad Hedd oddi ar wyneb y ddaear. Beth petai pawb yn dod i wybod?

Doedd Owen ddim yn gwybod am faint y bu'n sefyll y tu allan i'r stafell, ond ymhen ychydig daeth athro heibio a dechrau gweiddi ar Owen.

'Wedi cael dy anfon allan, ia? Rhag dy gywilydd di.' Ac i ffwrdd â'r athro heb aros i glywed y gwir. Roedd hwnnw wedi gwneud ei waith, wedi gweiddi ar ddisgybl a oedd yn amlwg wedi bod yn ddrwg. Gobeithiai'r athro fod holl ddosbarthiadau'r Adran Wyddoniaeth wedi'i glywed.

Yn sydyn, dechreuodd Owen deimlo'n unig unwaith eto. Ysai am fynd yn ôl i'r dosbarth, at Lisa, Llŷr a'r criw. Ond beth petaen nhw wedi newid eu meddwl? Beth petaen nhw wedi mynd 'nôl yn un criw cas yn y rhes gefn a chadair wag, unig yn aros amdano yn y rhes flaen?

Doedd dim angen iddo feddwl na phoeni mwy. Canodd

y gloch a llifodd y disgyblion allan o'r dosbarth, am y cyntaf i gael gair efo'u ffrind newydd.

Eisteddai Owen yng nghefn y bws, am y tro cyntaf. Roedd Kez a Braz ychydig i lawr y bws, a'u ffonau allan, ar ganol sgwrs danllyd.

'Dos di,' meddai Kez.

'Na, dos di,' atebodd Braz.

'Ti sy isho, dim fi, *so* ti sy'n gorfod gofyn.' Gwthiodd Kez Braz o'i sedd nes ei bod bron â disgyn ar y llawr. Doedd ganddi ddim dewis. Symudodd Kez fel nad oedd Braz yn gallu dod i eistedd yn ei hymyl. Cafodd Braz ei hun yn sefyll ar ei thraed yng nghanol y bws. Dechreuodd gerdded tuag at y sedd gefn. Dilynodd Kez yn syth y tu ôl iddi.

'Mae Mam yn gofyn...' meddai Braz wrth Owen. Dechreuodd y giglo. Gorfododd Braz ei hun i beidio. Dechreuodd eto. 'Mae Mam yn gofyn 'nei di dynnu'n llun i nesa. Dwi wedi anfon llun Corey a Hedd at Mam, ac mae hi'n deud bod dy luniau di'n ffab. Ti'n fodlon? Mae hi isho 'ngweld i ar y wal hefyd.'

'Tasat ti ond yn gwbod y gwir...' meddyliodd Owen wrtho'i hun.

Cyn i Owen gael cyfle i ateb, roedd y wal wedi dod i'r golwg.

19

Gorweddai Owen yn ei wely. Roedd digwyddiadau'r dydd yn troi a throsi yn ei feddwl. Ceisiodd wneud synnwyr o'r cyfan. Roedd wedi treulio blynyddoedd yn cael ei fwlio, pobl yn ei anwybyddu, teimlo'n unig. Ac yn ddiweddar, roedd hyd yn oed yr un a fu'n ffrind gorau iddo wedi bod yn troi'i gefn arno.

Roedd Llŷr ac yntau wedi bod trwy gymaint efo'i gilydd. Allai Owen ddim cofio amser pan nad oedd yn nabod Llŷr. Efo Llŷr yr aeth o i'r ysgol feithrin am y tro cyntaf. Efo Llŷr yr aeth o i'r ysgol gynradd. Llŷr oedd yn eistedd wrth ei ochr ar y bws ers blynyddoedd. Tan yn ddiweddar. Tan i Hedd a'i griw ei ddenu atyn nhw.

Cafodd Llŷr ddewis. A dewis mynd wnaeth Llŷr. Chafodd Owen ddim dewis. Byddai o hefyd wedi bod wrth ei fodd petai rhywun wedi gofyn iddo fo fynd i'r ffreutur efo nhw amser egwyl a chinio. Byddai wedi neidio ar y cyfle i fynd i'r dre ar ddydd Sadwrn, i weld ffilm neu i weld y pêl-droed yn y parc. Welai o ddim bai ar Llŷr. Ond doedd hynny ddim yn gwneud y peth yn haws i Owen.

A heddiw, roedd popeth wedi newid. Roedd pawb eisiau bod yn ffrind i Owen. Roedd Owen yn boblogaidd. Roedd Owen yn seren ac roedd Owen yn cŵl! Trodd ar ei ochr, gan adael i ddigwyddiadau'r dydd doddi'n freuddwydion ar ei obennydd.

Wrth iddo ddeffro, gwyddai Owen y byddai heddiw'n wahanol. Gwyddai y byddai Hedd yn ei ôl. Roedd hi'n bwrw glaw mân wrth iddo gamu allan drwy'r drws cefn.

Aeth digwyddiadau'r daith bws ddoe trwy'i feddwl. Yr hwyl, y chwerthin a'r mwynhau. Yna, gweld bod y llun wedi diflannu. Pawb yn rhyfeddu! Meddwl bod dynion y cownsil wedi bod yno efo'r *pressure washer*.

Doedd llun Hedd ddim yno ar y ffordd 'nôl o'r ysgol, a doedd neb yn gwybod beth oedd hynny'n ei olygu. Dim ond Owen. A Dafydd.

Cyrhaeddodd Owen yr arhosfan a gwyddai fod rhywbeth yn wahanol. Roedd Lisa a Llŷr yno'n barod. Y ddau â'u cefnau tuag ato. Yn siarad â'i gilydd. Yn amlwg ddim eisiau i Owen glywed na bod yn rhan o'r sgwrs. Roedd Kez a Braz yn eu byd bach eu hunain fel arfer. Cyrhaeddodd Dafydd a'r bws ar yr un pryd.

Eisteddodd Owen, ac wrth i Lisa'i basio ar y bws, plygodd i ddweud rhywbeth wrtho.

'Ti'n mynd i'w chael hi heddiw. Mae Hedd am dy waed di. Dwi wedi dweud wrtho fo am y llun,' meddai'n llawn bygythiad. 'Dwi 'di dangos y llun iddo fo. A 'di o ddim yn hapus.'

Aeth Lisa i eistedd yn y sedd gefn. Trodd Owen at Dafydd, yn meddwl y byddai hwnnw'n gallu rhoi rhyw gyngor iddo, rhyw ffordd i ddod o'r twll yma. Doedd gan hyd yn oed Dafydd ddim ateb.

★

Diwrnod du fu hi yn yr ysgol i Owen. Dim gwahanol i'r arfer, ond gwahanol iawn i ddoe. Yn ôl i'r un drefn yr aeth pethau. Pan ddaeth Hedd ar y bws, dechreuodd weiddi ar Owen. Pa hawl oedd gan Owen i dynnu llun ohono ar waliau ganol nos? Pwy ddiawl oedd o'n feddwl oedd o? A bygythiadau bach cas a oedd yn codi arswyd yng nghalon Owen.

Gwaedai calon Dafydd wrth glywed geiriau Hedd. Teimlai'n euog gan mai fo roddodd y syniad ym meddwl Owen.

Gwaedai calon Llŷr. Doedd o ddim yn hoffi gweld ei hen ffrind yn dioddef fel hyn, ond pan roedd hi'n dod yn fater o oroesi yn yr ysgol, meddwl am rif un wnâi Llŷr bob tro.

Gwaedai calon Lisa hefyd. Roedd hi wedi mwynhau ddoe. Roedd hi wedi gweld ochr arall i Owen. Ochr nad oedd hi'n gwybod ei bod yno. Byddai wrth ei bodd yn treulio mwy o amser yn ei gwmni. Y fath dalent efo paent! Ond feiddiai hi ddim. Roedd un broblem fawr. Hedd. Ac roedd Hedd yn ei ôl. A Hedd oedd ei chariad hi.

Bu'n ddiwrnod hir. Cyrhaeddodd Owen adre'r noson honno â llygad du. Treuliodd y noson yn ei stafell wely. Nid aeth i olwg ei fam. Doedd o ddim am iddi hi boeni.

Y noson honno, ysai am fynd allan i dynnu llun. Roedd Braz wedi holi am lun ohoni hi. Ond wedyn, byddai llun Lisa yn edrych yn dda ar y wal. Roedd yn nabod Llŷr cystal â neb. Fyddai dim angen braslunio hwnnw. Gallai dynnu llun Llŷr â'i lygaid ar gau. Byddai Daniel a Ben yn her. Tynnu llun y ddau. Doedd o erioed wedi tynnu llun dau ar yr un wal o'r blaen. A Dafydd... roedd digon o ddewis.

Roedd hi'n hanner nos, a phawb yn y stryd wedi hen ddiffodd eu goleuadau, wedi tynnu'r llenni ac wedi mynd i'r gwely am noson hir arall o gwsg. Pawb ar wahân i un. Am hanner nos roedd pawb call wedi hen fynd i gysgu. Am hanner nos roedd Owen yn dechrau ar ei waith. Roedd wedi cynllunio popeth yn barod. Roedd caniau chwistrellu paent ganddo ar y bwrdd yng nghornel ei stafell wely, a phapurau gwyn wedi'u rhoi at ei gilydd efo'r tâp glud, gan greu un canfas mawr yn gorchuddio'r llawr i gyd. Un olwg gyflym allan rhwng y llenni. Oedd, roedd hi'n noson glir. Dim glaw. Perffaith. Edrychodd ar y cloc. Roedd hi'n bryd iddo fynd. Un olwg arall ar y papur. Arno roedd siâp y llun. Yr amlinell berffaith. Dyma'r llun fyddai'n ymddangos ar wal ryw hanner milltir i ffwrdd cyn diwedd y nos. Un llinell fach arall a byddai'r llun yn gyfan. Gorffennodd y siâp yn ofalus â'r pin ffelt du, a rhoi tyllau bach bob hyn a hyn ar hyd y llinellau. Oedd, roedd yn hapus efo'r llun.

★

Cyrhaeddodd y bws yr un amser ag arfer. Roedd y daith yr un mor swnllyd ag arfer. Dim ond un peth oedd yn wahanol.

'Fydd 'na lun newydd ar y wal heddiw, tybed?' gofynnodd rhywun.

Doedd dim angen iddyn nhw aros yn hir. Wrth i'r bws gyrraedd, gallen nhw weld llun yn fawr ar y wal.

Llun yr un nad oedd ar y bws y bore hwnnw.

Llun Owen.

Permanent?

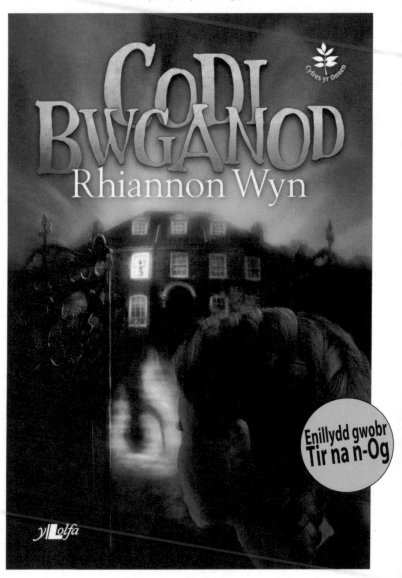

£5.95

y Lolfa

stwff

Lleucu Roberts

Guto S. Tomos

Enillydd gwobr
Tir na n-Og

"Cymeriadau credadwy, a hiwmor yn byrlymu wrth
drafod themâu cyfoes, beiddgar..." **Non Walters**

£5.95

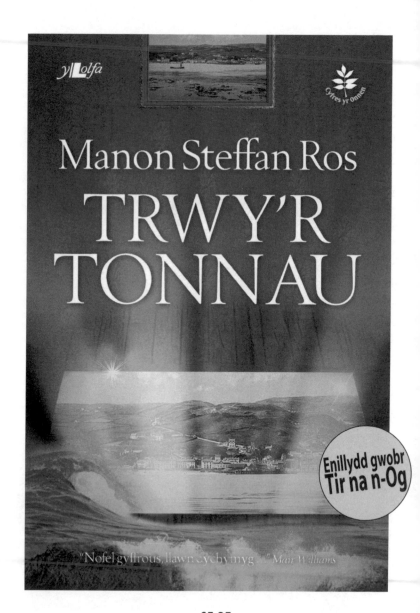

Manon Steffan Ros

TRWY'R TONNAU

Enillydd gwobr
Tir na n-Og

"Nofel gyffrous, llawn cychymyg..." *Mair Williams*

£5.95

MARED LLWYD

Aderyn Brau

Bwystfilod a Bwganod

Manon Steffan Ros

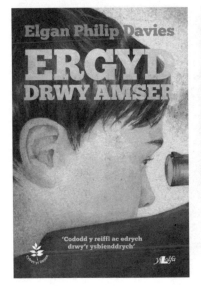

Elgan Philip Davies

ERGYD
DRWY AMSER

'Cododd y reiffl ac edrych
drwy'r ysbienddrych'

Cododd y prism ac edrych trwyddo. Roedd lliwiau'r enfys dros y byd i gyd.

PRISM
MANON STEFFAN ROS

£5.95 yr un

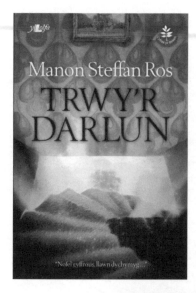

£5.95 yr un